D1431124

PRATIQUE
DU REFLEX
NUMÉRIQUE

MICHAEL FREEMAN

SOMMAIRE

First published in the United Kingdom in 2010 by:

I L E X

210 High Street
Lewes
East Sussex
BN7 2NS
www.ilex-press.com

The Digital Camera Handbook
Copyright © 2010, The Ilex Press.
All rights reserved
ISBN : 978-1-905814-83-1

Édition française, France, 2010

Publié par Pearson Education France
47 bis, rue des Vinaigriers
75010 Paris
www.pearson.fr

ISBN : 978-2-7440-9324-1
Copyright © 2010 Pearson Education France.
Tous droits réservés

Traduction : Danielle Lafarge
Composition : Compo-Méca

1

EXPOSITION

2

PRISE DE VUE

3

TECHNOLOGIE

1

Exposition

Capteurs

Le capteur est à la photographie numérique ce que la pellicule est à la photographie argentique : c'est sur sa surface que viennent s'impressionner les particules de lumière pour restituer la scène photographiée.

Les capteurs sont composés de millions de cellules sensibles à la lumière, les photosites, disposées en quadrillage sur un rectangle de silicium qui constitue la base du capteur. Chaque photosite correspond à un pixel de l'image numérique finale.

L'objectif concentre les particules de lumière (ou photons) de la scène sur les photosites. Les photons traversent ensuite une microlentille avant de frapper une photodiode en générant un signal électrique. Un convertisseur analogique-numérique transforme le

signal analogique en valeur numérique qui dicte les valeurs de luminosité et de tons du pixel tel qu'il est affiché à l'écran.

Les photodiodes étant incapables de distinguer les couleurs, ces informations sont restituées au moyen d'une matrice de carrés rouges, verts et bleus, placée sur les photodiodes en faisant correspondre un carré de couleur à chaque photodiode. La scène photographiée est ainsi décomposée en couleurs primaires. Comme presque toutes les couleurs peuvent être obtenues à partir des trois couleurs primaires, une image en couleurs peut être réassemblée à l'aide d'un procédé d'interpolation compliqué nommé le démosaïquage.

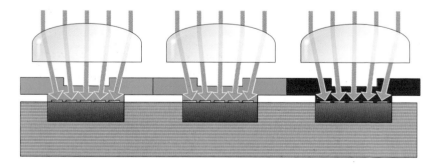

Structure d'un photosite

Le schéma présente la structure fondamentale d'un photosite. Les trois photosites illustrés sont chacun munis de l'un des trois filtres de couleur (rouge, vert et bleu) qui sont utilisés dans un filtre mosaïque.

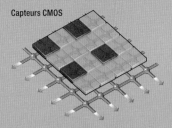

Capteurs CMOS

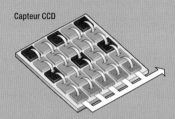

Capteur CCD

Types de capteur

Deux principaux types de capteur sont utilisés dans la majorité des appareils photo numériques : les capteurs CMOS et les capteurs CCD. Ils convertissent, l'un comme l'autre, la lumière en signaux électriques.

Dans un capteur CMOS, chaque photosite a ses propres circuits qui acheminent directement les informations de lumière au processeur de l'appareil photo. L'un des avantages des capteurs CMOS est leur faible besoin en énergie. En revanche, les circuits supplémentaires accentuent la perte d'informations de lumière acquises par chaque photosite. Ces capteurs sont souvent utilisés dans les appareils bon marché, comme ceux des téléphones mobiles, en raison de leur faible coût. Mais leur grande polyvalence est un atout exploité par les reflex numériques haut de gamme, même si l'électronique nécessaire pour compenser leur grande sensibilité au bruit signifie qu'au final les coûts de production équivalent à ceux d'un capteur CCD.

Les capteurs CCD équipent la plupart des appareils photo numériques. Contrairement aux capteurs CMOS, les informations collectées par chaque photosite sont transférées sur la puce et lues à une extrémité.

Les capteurs CCD ont longtemps été préférés aux capteurs CMOS car ils produisent une image de meilleure qualité avec moins de bruit. Ils sont toutefois très gourmands en énergie et pâtissent de coûts de production élevés.

Aujourd'hui, les capteurs CCD et CMOS sont capables de produire des images d'excellente qualité. Il n'y a pas de grand vainqueur dans la course à la première place. À l'avenir, le choix du capteur sera probablement dicté par le type d'appareil.

Matrice de filtre couleur

Comme les photodiodes sont incapables de détecter et de distinguer les couleurs, un filtre est placé sur les photodiodes de façon à capturer les longueurs d'onde rouges, vertes et bleues (RVB – RGB pour Red Green Blue). Le mélange de ces couleurs primaires dans différentes proportions permet d'obtenir presque toutes les couleurs visibles par l'œil humain.

La matrice de filtre la plus fréquemment employée contient 50 % de carrés verts et 25 % de carrés rouges et de carrés bleus. Cet écart de proportions s'explique par le fait que l'œil humain est plus sensible à la lumière verte qu'aux deux autres couleurs. Cette disposition particulière se nomme le motif de Bayer, du nom du chercheur à l'origine de son développement chez Kodak.

Qu'est-ce que l'exposition ?

La lumière doit impressionner le capteur pour que l'appareil puisse acquérir une image. Cela se nomme l'exposition. Toute la difficulté consiste à ne laisser pénétrer que la quantité adéquate de lumière.

Si trop de lumière atteint le capteur, l'image est trop claire ou surexposée. Dans des situations extrêmes, les zones de hautes lumières de la photo sont brûlées et sans détail. Inversement, si le capteur ne reçoit pas assez de lumière, les ombres sont trop sombres (bouchées) et la photo est sous-exposée. En cas de forte sous-exposition, les zones d'ombre paraissent complètement noires et sans détail.

Le réglage de l'exposition pour contrôler la quantité de lumière atteignant le capteur est un aspect primordial de la photographie. Des innovations techniques ont progressivement facilité la tâche du photographe et, aujourd'hui, l'appareil peut se charger lui-même de toute l'opération.

Il n'en demeure pas moins important de comprendre le fonctionnement de l'exposition afin de pouvoir la contrôler soi-même, et ce pour deux raisons. La première est que, malgré la grande sophistication du réglage Tout automatique qui parvient à déterminer l'exposition correcte dans la majorité des éclairages, les appareils sont parfois induits en erreur et ne produisent pas la photo voulue. La seconde est que laisser l'appareil prendre toutes les décisions est une stratégie risquée. Nous verrons comment les valeurs choisies pour régler l'exposition régissent l'apparence de la photo.

La désactivation du réglage automatique de l'exposition offre davantage de liberté créative en permettant notamment de choisir l'étendue de la zone de netteté de la scène ou de figer ou flouter les objets en mouvement. La maîtrise de l'exposition est cruciale pour améliorer votre technique photographique.

Deux traitements différents de l'exposition pour une même image d'un ouvrier birman jetant de l'eau sur de la chaux. L'exposition de la photo du haut restitue bien le soleil couchant. Le ciel a des couleurs riches et l'eau projetée du seau est bien visible. En revanche, la moitié supérieure de la femme n'est qu'une silhouette sans détails. L'exposition de la photo inférieure convient mieux à la femme au premier plan. Il y a davantage d'informations visuelles. On voit bien les sacs, par exemple, et on distingue la matière et l'imprimé des vêtements. Mais quelle photo est la meilleure ? Être capable de contrôler l'exposition vous laisse libre d'essayer les deux traitements.

Valeurs d'exposition

Nombres *f*

La taille de l'ouverture de l'objectif est indiquée en nombre *f* ou stop. Cette notation spéciale permet d'utiliser les mêmes valeurs quel que soit l'objectif. La suite de nombres peut paraître étrange mais elle correspond au rapport de l'ouverture sur la longueur focale, d'où le signe /. Il s'agit de fractions.

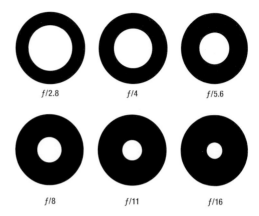

f/2.8   *f*/4   *f*/5.6

f/8   *f*/11   *f*/16

Il est entendu qu'être capable de régler l'exposition est crucial pour maîtriser ses photos, mais de quels outils dispose-t-on ?

Trois facteurs déterminent l'exposition :

- la quantité de lumière atteignant le capteur ;
- la durée d'exposition du capteur à la lumière ;
- la sensibilité du capteur à la lumière.

Chacun de ces facteurs correspond à des réglages sur l'appareil photo.

Le premier est l'ouverture. L'ouverture est l'orifice de l'objectif par lequel passe la lumière jusqu'au capteur. Son diamètre est défini par un iris réglable, le diaphragme, généralement constitué de fines lamelles métalliques, et il est exprimé en nombre *f*. Un objectif ordinaire a les nombres *f* incrémentiels suivants : *f*/2.8, *f*/4, *f*/5.6, *f*/8, *f*/11, *f*/16 et *f*/22. Chaque nombre représente une ouverture deux fois plus petite que la précédente, *f*/2.8 étant l'ouverture la plus grande (celle qui laisse pénétrer le plus de lumière) et *f*/22 étant la plus petite (celle qui laisse entrer le moins de lumière). Certains

appareils récents ont des valeurs correspondant à une moitié ou à un tiers d'ouverture. Ainsi, les tiers d'ouverture entre *f*/5.6 et *f*/8 sont *f*/6.3 et *f*/7.1.

Le diaphragme agit en tandem avec l'obturateur. Dans les reflex numériques, l'obturateur est un dispositif mécanique composé de deux rideaux (en tissu, en métal ou en plastique) qui coulissent l'un après l'autre, verticalement, de haut en bas devant le capteur. Une vitesse d'obturation de 1/125 s expose le capteur à la lumière pendant 1/125 s.

La vitesse d'obturation est comprise entre 1/4000 s (voire 1/8000 s) et 30 s. La plage de valeurs va de 1/4000, 1/2000, 1/1000, 1/500, 1/250, 1/125, 1/60, 1/30, 1/15, 1/8, 1/4, 1/2, 1, 2, 4, 8, 15 à 30 s. Les appareils récents proposent aussi des tiers de valeur de vitesse (par exemple 1/3200 s et 1/2500 s entre 1/4000 s et 1/2000 s). L'exposition est liée à une combinaison des réglages de l'ouverture et de la vitesse d'obturation (nous laissons sciemment de côté la sensibilité). Au moment de la prise de vue, le système de mesure de l'appareil (pages 16-21) évalue la quantité de

Leica Noctilux-m

Cet objectif de Leica, fabricant réputé de boîtiers et d'objectifs, est le 35 mm le plus rapide du monde. Il autorise une ouverture sans précédent de f/0.95, ce qui offre une excellente restitution de la lumière. Même une scène éclairée à la bougie a une luminosité suffisante pour une vitesse d'obturation à 1/30 s.

lumière réfléchie par la scène. L'appareil détermine une valeur d'exposition correcte en se basant sur cette mesure. Supposons que l'appareil propose des valeurs d'exposition de 1/250 s et f/8. Ce n'est que l'une des nombreuses combinaisons qui aboutiront à une photo correctement exposée. Vous pouvez ne pas être d'accord avec la valeur mesurée et agrandir l'ouverture à f/5.6 (plus la valeur est basse, plus l'ouverture est grande). L'image risque alors d'être plus claire qu'avec la valeur précédente, ce qui peut provoquer une surexposition. Pour que le cliché reste correctement exposé, il faut réduire la vitesse d'obturation à 1/500 s pour compenser l'ouverture supérieure. Deux fois plus de lumière atteint le capteur, mais pendant une durée deux fois plus courte, ce qui aboutit à la même quantité globale de lumière. Vous pourriez aussi fermer le diaphragme à f/11, tout en poussant la vitesse à 1/125 s. En d'autres termes, dans cet exemple précis, 1/250 s et f/8 produisent la même exposition que 1/125 s et f/11, qui équivalent à leur tour à 1/500 s et f/5.6. Mais alors pourquoi

choisir une exposition plutôt qu'une autre ? Comme nous l'avons dit, c'est là qu'intervient votre sens artistique.

L'ouverture ne détermine pas uniquement la quantité de lumière qui impressionne le capteur. Elle affecte aussi le plan de netteté de la scène, ou profondeur de champ, qui est l'un des principaux modes d'expression créative des photographes. De même, la vitesse d'obturation ne conditionne pas uniquement la durée d'exposition du capteur à la lumière. Elle régit aussi l'apparence des éléments animés. Dans la seconde partie, nous examinerons en détail la profondeur de champ et les sujets en mouvement. Pour l'instant, retenez simplement qu'il y a une relation de réciprocité entre la vitesse d'obturation et l'ouverture.

Exposition et ISO

La valeur ISO détermine la sensibilité du capteur à la lumière. Ce n'est qu'avec l'avènement de la photographie numérique que le choix de la sensibilité ISO a occupé une place de premier plan dans le réglage de l'exposition.

À l'époque de l'argentique, toutes les pellicules avaient une valeur ISO (ou ASA) spécifique, la majorité des sensibilités étant comprises entre 100 et 400 ISO. Le photographe réglait cette valeur sur le boîtier et elle était conservée jusqu'à la fin de la pellicule. Si le photographe avait momentanément besoin d'une pellicule plus rapide (avec une valeur ISO élevée), il rembobinait la pellicule pour conserver les vues exposées, puis il chargeait la pellicule plus sensible. Cette opération prenait du temps et n'était pas sans risques. En numérique, le photographe peut ajuster la sensibilité ISO à sa guise. Mais pourquoi régler la sensibilité du capteur ? Comme vous l'avez sans doute deviné, le facteur déterminant est le niveau de luminosité ambiante. Les capteurs ont une sensibilité ISO native de 100 ISO habituellement. Mais comme ce sont des composants électroniques, il est possible d'amplifier les signaux, ce qui revient à rendre le capteur plus sensible. Plus la sensibilité du capteur augmente, moins il a besoin de lumière pour acquérir une image. Supposons, par exemple, que les valeurs d'exposition soient de 1/125 s à f/8 avec une valeur ISO de 100. Si vous poussez la valeur ISO à 200 en n'ajustant ni l'ouverture ni la vitesse, la sensibilité accrue du capteur risque de produire une image surexposée.

Pour conserver la même exposition, il faut soit réduire de moitié la vitesse d'obturation, soit refermer le diaphragme. Les nouvelles valeurs d'exposition obtenues pourraient donc être de 1/250 s à f/8 ou de 1/125 s à f/11. Pousser davantage la sensibilité ISO nécessite une vitesse d'obturation encore plus rapide ou une ouverture encore plus petite.

Les avantages tirés de l'augmentation de la sensibilité se ressentent davantage à faible éclairage ambiant, quand une valeur ISO élevée (comme 800 ISO) permet de choisir une vitesse supérieure pour figer l'action (pages 34-35) ou pour éviter le bougé de l'appareil. Mais l'augmentation de la sensibilité présente des inconvénients. L'amplification du signal d'image dans le capteur et les composants électroniques amplifie aussi les parasites et accroît le risque d'interférences dans le capteur. Ces interférences, que l'on nomme du bruit, se manifestent par des erreurs de couleurs des pixels qui sont surtout visibles dans les ombres de couleur unie. La gravité du bruit dépend de la valeur ISO (plus elle est élevée, pire est le bruit), de l'appareil (certains modèles en souffrent moins que d'autres), du sujet et de l'arrière-plan du cliché (de grandes zones d'ombres unies présentent davantage de bruit que les petites taches claires).

Il est important de connaître les performances de votre appareil à faible éclairage ambiant afin de maîtriser le bruit. Même si le bruit est préférable au flou, mieux vaut limiter ces défauts autant que possible en réglant une valeur ISO aussi basse que l'exposition l'autorise (et plus précisément la vitesse d'obturation).

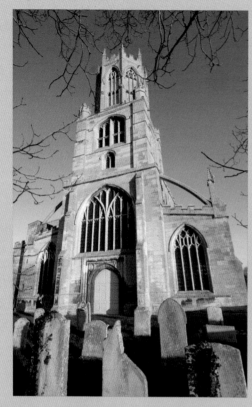

200 ISO

400 ISO

800 ISO

1 600 ISO

3 200 ISO

Cette photographie a été prise avec une sensibilité de 100 ISO (à gauche) à 1/80 s. La valeur ISO a ensuite été augmentée, ce qui entraîne une augmentation visible du bruit, et plus particulièrement dans les zones d'ombre.

Cette photo de pèlerins tibétains au mont Kailash a été prise à faible éclairage ambiant. Comme l'appareil était tenu à la main et que les personnes étaient en mouvement, une vitesse d'obturation assez rapide fut nécessaire pour éviter un flou excessif. Le faible éclairage a imposé aussi une valeur ISO élevée qui a inévitablement produit du bruit dans l'image. Ici, l'important était de prendre une photo.

Mesure multizone

Les appareils photo intègrent un posemètre qui mesure la luminosité de la scène et sa répartition. Ces informations sont ensuite utilisées pour régler l'exposition.

Mais il n'est pas rare que les scènes que nous voulions photographier varient énormément à la fois au niveau de leur luminosité globale, mais aussi quant à la répartition des tons clairs et des tons foncés. La répartition de la luminosité est parfois telle que l'appareil a beaucoup de mal à évaluer correctement l'exposition, notamment dans le cas de scènes très contrastées ou quand la surface du sujet est beaucoup plus lumineuse ou plus sombre que le reste de la scène. Il faut alors faire des choix qui ne sont pas toujours dans les cordes d'une

intelligence artificielle. Heureusement, tous les reflex numériques et la plupart des autofocus proposent plusieurs modes de mesure pour vous aider à obtenir une exposition correcte dans des conditions d'éclairage difficiles.

Mesure multisegment

Le système de mesure le plus sophistiqué se nomme la mesure multisegment ou multizone. Vous connaissez peut-être mieux le nom donné par les différents fabricants qui s'inspirent de la disposition des cellules, qualifiée de matricielle, évaluative ou en nid d'abeille.

Mesure matricielle couleur 3D Nikon

Voici une représentation schématisée du flux de traitement du système de mesure Nikon. Un capteur haute définition (1 005 segments) est dédié à la mesure de la vue. De plus, le mouvement du sujet dans le cadre est suivi pour la définition de la priorité. Ces données sont analysées et les résultats sont comparés aux dizaines de milliers de valeurs d'exposition contenues dans une base de données. Les corrections d'exposition sont précalculées pour toutes ces possibilités et la plus approchante est utilisée pour calculer l'exposition de la photo.

Vue

Analyse des données

Capteur de mesure
(1 005 pixels)

Suivi de mise au point

Ce mode de mesure est celui qui est utilisé par défaut par tous les reflex numériques. La mesure multisegment a deux caractéristiques. La première est la division du cadre en segments ou zones qui sont mesurés au cours du réglage de l'exposition. Le nombre de zones varie beaucoup d'un appareil à l'autre ; sur certains, elles se comptent par douzaines, tandis que d'autres en ont plus d'un millier. Mais le nombre de zones n'est pas le seul critère de précision du système.

Le second critère permettant de juger de la qualité du système de mesure est sa base de données qui contient les mesures d'exposition de centaines de situations de prise de vue. Les échantillonnages effectués dans les différentes zones sont comparés aux valeurs contenues dans la base de données pour déterminer l'exposition correcte. Par exemple, une longue bande claire traversant le haut d'un cadre horizontal est interprétée comme étant le ciel et l'exposition est réglée de façon à révéler les détails de la zone sombre au-dessous. De même, si le système détecte une tache lumineuse au milieu d'une scène sombre, il en déduit que l'objet clair est le sujet de la photo et il corrige sa mesure en conséquence

Comparaison avec la base de données
(dizaines de milliers de vues)

Calcul de l'exposition

Mesure pondérée centrale

Même si la mesure multizone, aujourd'hui très sophistiquée, est généralement capable de fournir une exposition correcte pour la majorité des scènes, il lui arrive aussi de se tromper.

La matrice du système de mesure évaluatif aboutit parfois à des valeurs mesurées qui ne reflètent pas la réalité de la scène. L'exposition obtenue ne favorise pas le sujet de la prise de vue. Dans ce cas, il faut choisir une autre méthode de mesure parmi les deux possibilités supplémentaires généralement proposées par l'appareil pour obtenir des valeurs fidèles à la scène photographiée : la mesure spot ou sélective, que nous examinerons par la suite, ou la mesure pondérée centrale.

Avant l'invention de la mesure multizone, la mesure pondérée centrale était proposée par défaut sur de nombreux appareils. Son principe est relativement

simple : le boîtier effectue une mesure moyenne de l'ensemble de la scène mais en privilégiant le centre, et sur certains boîtiers, la moitié inférieure du cadre. En effet, le sujet du cliché se trouvant souvent au centre du viseur, la mesure doit être plus précise dans cette zone. L'importance accordée à la moitié inférieure évite au ciel clair de fausser l'exposition.

Même si cette méthode est moins sophistiquée que la mesure multizone, le photographe expérimenté préfère la mesure pondérée centrale (ou la mesure spot) car celle-ci lui permet de contrôler davantage l'exposition. La simplicité est aussi un atout : en cas d'erreur d'exposition, le photographe aguerri est capable d'identifier le problème et de corriger rapidement les réglages après un simple examen du cliché initial sur l'écran LCD.

C'est la situation idéale pour utiliser la mesure pondérée centrale. L'appareil serait enclin à interpréter cette vue d'un enfant sur fond de feuillage clair comme une scène lumineuse, ce qui aboutirait inévitablement à une sous-exposition du sujet. En revanche, avec une pondération de la mesure au centre de l'image, le visage est correctement exposé.

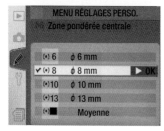

Zone centrale

Les appareils laissent souvent le choix de la zone privilégiée pour la mesure de l'exposition. La mesure pondérée centrale, par exemple, néglige les informations situées sur les bords de l'image, la mesure directe se concentrant essentiellement sur la zone visible au travers du cache illustré ci-contre.

Identifier la zone pondérée centrale

Le seul moyen pratique de vérifier le niveau d'atténuation ou de dureté du contour de la zone pondérée consiste à déplacer la zone visible à travers le viseur vers une démarcation nette entre deux tons contrastés, comme dans les deux photos ci-dessus. Vous constatez que le contour change quand une partie du panneau de couleur foncée est incluse dans la zone pondérée centrale.

Mesure spot

La troisième méthode de mesure proposée par quelques reflex numériques (rarement par les compacts) est la mesure spot. C'est un système très précis, mais il doit être manipulé avec précaution.

La mesure spot, comme son nom l'indique, s'effectue sur une petite zone de la scène, sans tenir compte de la luminosité du reste de la vue, contrairement à la mesure pondérée centrale.

Le diamètre de la zone de mesure spot varie en fonction des fabricants. Chez certains, elle correspond à un cercle de 4 mm (soit 1,5 % de la vue) au centre du viseur, même si la mesure est traditionnellement indiquée en degrés, ce qui équivaut ici à 4,6°. D'autres marques préfèrent les zones plus larges. Chez Canon, par exemple, la zone de mesure a un diamètre de 6 mm environ. Même si elle ne paraît pas beaucoup plus grande, elle couvre 9 % de la vue, soit 12,5°. Comme il ne s'agit plus à proprement parler d'une mesure spot, Canon la nomme mesure partielle.

La mesure spot peut être utilisée de différentes manières, la plus fréquente étant la mesure précise du sujet qui doit être exposé correctement. Par exemple, un objet blanc faiblement éclairé sur un fond noir serait probablement surexposé avec les mesures multizone ou pondérée centrale. La mesure doit être précise pour obtenir l'exposition voulue.

Une autre utilisation répandue de la mesure spot consiste à mesurer une zone qui doit être correctement exposée, puis à verrouiller l'exposition (pages 42-43) avant de recomposer la vue pour enfin prendre la photo.

Quelques modèles d'appareil permettent aussi d'utiliser la mesure spot pour mesurer différentes zones de la scène. L'appareil compile ensuite les informations obtenues et propose une exposition moyenne qui conviendra à l'ensemble de la composition.

← La mesure spot est fréquemment employée en visant d'abord un point situé au centre de la zone à mesurer, puis en recomposant la vue avant de déclencher.

↑ La mesure spot peut être utilisée pour mesurer différentes zones de la vue, comme les hautes lumières, les ombres et le visage des sujets. Ensuite, il est possible de calculer une moyenne globale valable pour toute la scène. Quelques boîtiers professionnels effectuent automatiquement cette opération.

Modes d'exposition

Les sujets à photographier ne manquent pas. Certains, comme les paysages, sont essentiellement statiques, tandis que d'autres contiennent une multitude d'objets se déplaçant à vive allure.

Les conditions d'éclairage sont au moins aussi changeantes que les sujets, allant d'un soleil éclatant à la nuit noire, en passant par un ciel nuageux.

Comme les sujets et les conditions de prise de vue varient à l'infini, tous les appareils numériques disposent de modes d'exposition qui aident le photographe à capturer la scène telle qu'il se la représente.

Le nombre et le type de modes d'exposition varient beaucoup d'un appareil à l'autre. En règle générale, ils sont de deux sortes : ceux par lesquels l'appareil détermine l'exposition et ceux qui vous laissent aux commandes.

Comme nous le verrons dans les pages suivantes, en plus du mode Auto standard, la plupart des appareils ont aussi des modes Sujet ou Scène qui vont bien plus loin que le simple réglage de l'exposition. Si vous débutez, ces modes vous dépanneront dans de nombreuses situations.

Mais au risque de nous répéter, vous en remettre entièrement à l'appareil ne développera pas votre sens artistique, voire freinera votre enthousiasme pour la photographie.

Passé le premier stade de la familiarisation avec l'appareil photo, vous aurez envie d'essayer les modes semi-automatiques et manuels. Vous ferez vite le constat que leur utilisation offre bien plus de souplesse car vous n'êtes pas contraint de suivre les décisions que l'appareil a prises à votre place. Vous devrez inévitablement passer par une phase d'apprentissage, mais elle n'est pas particulièrement ardue et le jeu en vaut la chandelle.

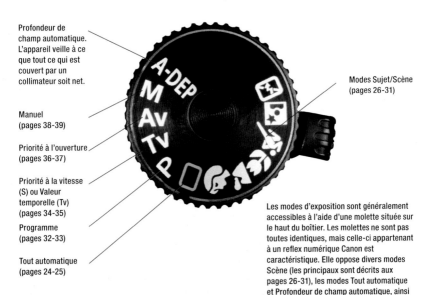

Profondeur de champ automatique. L'appareil veille à ce que tout ce qui est couvert par un collimateur soit net.

Manuel
(pages 38-39)

Priorité à l'ouverture
(pages 36-37)

Priorité à la vitesse (S) ou Valeur temporelle (Tv)
(pages 34-35)

Programme
(pages 32-33)

Tout automatique
(pages 24-25)

Modes Sujet/Scène
(pages 26-31)

Les modes d'exposition sont généralement accessibles à l'aide d'une molette située sur le haut du boîtier. Les molettes ne sont pas toutes identiques, mais celle-ci appartenant à un reflex numérique Canon est caractéristique. Elle oppose divers modes Scène (les principaux sont décrits aux pages 26-31), les modes Tout automatique et Profondeur de champ automatique, ainsi que les modes semi-automatiques et manuel.

Il se passe beaucoup de choses dans cette photo. En plus du garçon en train de plonger, il y a une cascade en arrière-plan, et à mi-distance, une statue surplombant une fontaine et un spectateur. Le mode Auto n'aurait probablement pas réglé une vitesse d'obturation suffisante pour figer le plongeon. La sélection d'un mode Scène action/sport aurait bien figé l'action, mais la vitesse d'obturation aurait été si rapide que l'ouverture aurait été trop grande pour que la statue soit nette (grande ouverture = faible profondeur de champ).

Tout automatique

En mode Tout automatique, l'appareil se charge de tous les réglages, de l'exposition à la sensibilité en passant par la mise au point, etc. Ce mode est souvent symbolisé par un rectangle vert.

Le réglage Auto du reflex numérique est surtout destiné aux habitués des compacts, mais un photographe m'a un jour confié qu'il l'utilisait quand il demandait à un inconnu de le prendre en photo avec sa famille.

En plus de régler l'exposition et la sensibilité, le mode Auto contrôle aussi les collimateurs (pages 54-55), la balance des blancs (pages 62-63), le mode de mesure et, sur certains appareils, il règle la qualité de l'image, qui dicte le format d'impression optimum des photos.

C'est surtout parce qu'il choisit le mode de mesure et les réglages de qualité de l'image que le mode Tout automatique a parfois du mal à produire une bonne photo, notamment dans des conditions d'éclairage difficiles. Il ne vous laisse contrôler ni la vitesse ni la profondeur de champ. En fait, le choix du cadrage est la seule part de créativité qu'il vous laisse.

Maintenant que vous connaissez les inconvénients majeurs du mode Auto, choisissez-le tout de même quand vous n'êtes pas certain des réglages qu'il faut privilégier pour immortaliser l'instant. Même si l'image n'est pas parfaite, elle devrait être exploitable.

Certaines occasions de prise de vue sont si soudaines qu'à moins d'être un professionnel expérimenté, le plus sûr est de passer en mode Auto et d'appuyer sur le déclencheur, sachant que l'appareil devrait fournir une image correctement exposée.

Mode Canon Créatif auto

Des reflex récents ont un mode
d'exposition intitulé Créatif auto
qui est accessible via la molette
de sélection des modes. Ce mode
est censé fournir une interface
intuitive aux utilisateurs
inexpérimentés pour leur
permettre de contrôler quelques
réglages de l'exposition.
L'interface se compose d'icônes
et de glissières ; le rôle des
réglages est expliqué.

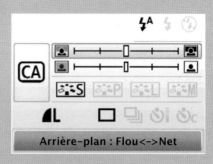

La glissière Arrière-plan :
Flou <-> Net ajuste l'ouverture
de façon à agrandir ou à réduire
la profondeur de champ
(régissant les parties floues et
nettes de l'image).

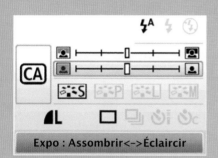

La glissière Expo :
Assombrir <-> Éclaircir ajuste le
réglage de la correction
d'exposition appliquée par
l'appareil (pages 40-41) pour
rendre l'image plus foncée ou
plus claire.

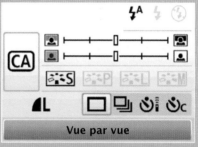

Quelques réglages du mode
Créatif Auto concernent le flash,
la qualité de l'image, ainsi que le
mode d'entraînement qui permet
de photographier vue par vue ou
en rafale et d'activer le
retardateur.

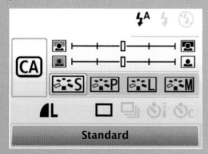

Le mode Créatif auto propose
aussi les styles de photos
Standard, Portrait, Paysage et
Monochrome.

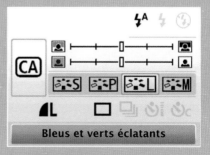

Quand vous choisissez l'un des
styles de photo, l'écran signale
son effet sur les photos.

Mode Scène Paysage

Les paysages comptent parmi les sujets les plus appréciés des photographes de tous niveaux.

Quand vous sélectionnez le mode Scène Paysage, l'appareil règle automatiquement une petite ouverture (avec une valeur élevée, de l'ordre de $f/22$) afin que la plus grande partie de la scène, du premier plan à l'arrière-plan, soit nette. Mais cette petite ouverture est conditionnée par l'éclairage disponible. À faible éclairage ambiant, certains appareils imposent l'utilisation d'un trépied (ou de poser le boîtier sur une surface plane) pour éviter de bouger. Sur d'autres modèles, la vitesse d'obturation ne peut pas être inférieure à 1/60 s (pour éviter le bougé) et l'ouverture sera alors trop grande pour que toute la scène soit nette.

En outre, l'appareil se charge automatiquement de booster les couleurs, plus particulièrement les bleus et les verts, qui dominent souvent en photographie de paysage. L'accentuation est aussi renforcée pour souligner au maximum les détails de la scène.

Concernant la mesure de l'exposition, le réglage multizone est appliqué car il convient parfaitement à ce genre photographique.

Le niveau de contrôle dont on dispose sur la qualité d'image varie en fonction de l'appareil. Sur certains modèles, il n'est pas possible de choisir le format de fichier Raw (pages 114-117) qui offre pourtant la meilleure qualité d'image, notamment dans des conditions d'éclairage difficiles. Cet inconvénient devrait à lui seul vous inciter à ne pas utiliser les modes Scène.

Les paysages exigent l'utilisation d'un objectif grand-angle pour capturer une vue aussi large que possible. Un grand-angle aide aussi à garder le premier plan et l'arrière-plan nets.

Mode Scène Portrait

Les portraits sont aussi un thème très apprécié, mais en mode Portrait, l'appareil réagit très différemment d'en mode Paysage.

Contrairement aux paysages, les portraits ne nécessitent pas une grande profondeur de champ pour que tout soit net. Au contraire, les portraits les plus réussis ont une faible profondeur de champ pour pouvoir obtenir un arrière-plan flou. Ainsi, le regard n'est pas distrait par le fond et le sujet de la photo est mis en valeur.

Pour obtenir une faible profondeur de champ en mode Portrait, l'appareil règle automatiquement une grande ouverture (faible valeur). Le flash est réglé sur Automatique de façon à se déclencher si l'éclairage est trop faible. Les réglages de la couleur seront aussi plus doux, comparés au mode Paysage, pour garder des tons de peau aussi naturels que possible.

Sur certains modèles d'appareils, la sélection du mode Portrait définit aussi le mode d'entraînement rafale ou continu. Dans ce mode, l'appareil continue à prendre des photos tant que vous appuyez sur le déclencheur ou jusqu'à ce que la mémoire temporaire de l'appareil soit pleine.

Le mode de mesure choisi varie : certains appareils optent pour le mode multizone, tandis que d'autres préfèrent la pondération centrale car le sujet se trouve probablement non loin du centre de la vue.

En mode Portrait, l'appareil photo règle automatiquement une grande ouverture. Cela crée une faible profondeur de champ qui rend flous tous les éléments potentiellement perturbateurs de l'arrière-plan. Pour les portraits, préférez un téléobjectif moyen ou un réglage de l'ordre de 80-100 mm. Cela va contribuer à réduire la profondeur de champ et ne déformera pas le visage du sujet, comme le ferait un grand-angle.

Mode Scène Action/Sport

La photographie de sujets en mouvement, qu'il s'agisse de sport ou autre, exige de la pratique.

La vitesse est l'essence même de la photographie d'action. Comme vous l'aurez sans doute deviné, le mode Action ou Sport sélectionne automatiquement des vitesses d'obturation rapides pour figer le mouvement. Pour atteindre des vitesses rapides, l'appareil ouvre l'ouverture en grand si l'éclairage le permet. Les meilleurs résultats sont obtenus avec de bonnes conditions d'éclairage. En revanche, ils sont décevants en intérieur.

Le mode Sport active aussi d'autres réglages comme le type de déclenchement et le format de l'image. Avec l'entraînement rafale, la prise de vue dure tant que vous appuyez sur le déclencheur ce

qui, comme en mode Portrait, peut permettre d'obtenir le cliché recherché. La cadence (indiquée en images par seconde) varie selon les appareils. Sur certains, la taille d'image peut être limitée pour procurer un gain de vitesse en mode de prise de vue rafale.

Concernant l'exposition, certains appareils utilisent le réglage multizone, alors que d'autres activent le mode de mesure à pondération centrale.

La mise au point s'effectue aussi en continu dans ce mode. L'appareil photo suit le sujet et ajuste la mise au point tant que le déclencheur est enfoncé à mi-course.

Saisir des scènes de la vie sauvage exige des années d'expérience. L'anticipation étant souvent le secret de la photographie d'action, mieux vous connaissez le sujet, plus vous avez de chance de réussir le cliché.

Mode Scène Gros plan/Macro

Le gros plan (ou la macro) est un domaine méconnu de la photographie, alors qu'il est assez facile d'obtenir de bons résultats, même avec un objectif standard.

Le mode Gros plan ou Macro implique souvent une grande ouverture et une vitesse élevée, comme le mode Portrait. Les risques de bougé sont limités car la grande ouverture autorise une vitesse d'obturation rapide. La grande ouverture réduit la profondeur de champ et plus on s'approche du sujet, plus la profondeur de champ devient petite. Le fait que la faible profondeur de champ pose problème ou non dépend surtout du sujet. Si le sujet est long, la petite profondeur de champ empêche souvent d'avoir un sujet net d'une extrémité à l'autre.

En photographie de gros plan, l'usage recommande de cadrer le sujet devant un arrière-plan sombre car cela le met davantage en valeur. Vous préférerez peut-être aussi photographier le sujet plein cadre en montant l'appareil sur un pied car cela permet d'exploiter au mieux la faible profondeur de champ et d'éviter les bougés à faible éclairage ambiant.

Dégager au maximum l'arrière-plan permet de détacher davantage le sujet d'un gros plan ou d'une prise de vue en macro.

La faible profondeur de champ inhérente à ce type de photo contribue aussi à flouter le fond.

Mode Scène Portrait de nuit

La photographie nocturne produit des clichés riches en atmosphère, mais les portraits exigent une attention particulière.

L'utilisation du réglage standard du flash pour photographier des personnes en extérieur de nuit peut exposer correctement le sujet, mais l'éclair ne sera pas assez puissant pour éclairer le fond. L'arrière-plan sera sombre et l'image assez décevante.

Pour y remédier, la plupart des appareils proposent un mode Portrait de nuit qui utilise le flash avec une vitesse d'obturation lente. L'éclair est déclenché au début de l'exposition pour éclairer le sujet, tandis que la pose longue permet à une quantité suffisante de lumière d'atteindre le capteur depuis l'arrière-plan sombre de façon à ce que le fond soit aussi exposé. Il en résulte une vue équilibrée.

Ce mode est efficace, mais comme le temps de pose est long, l'appareil doit être monté sur un pied (ou placé sur une surface stable) pour garantir la netteté du cliché. Il faut aussi demander au sujet de ne pas bouger, même après le déclenchement du flash, car l'obturateur est encore ouvert et le capteur impressionné. Les mouvements légers n'apparaîtront pas après que le sujet aura été figé par l'éclair du flash, mais mieux vaut éviter de faire de grands gestes.

Les portraits de nuit en extérieur sont souvent plus réussis avec un objectif grand-angle qui inclut une partie du fond. Assurez-vous que le sujet est suffisamment proche pour être éclairé par le flash.

Autres modes Scène

Tout nouveau modèle d'appareil se doit de fournir des modes Scène supplémentaires. Certains proposent de résoudre les conditions d'éclairages difficiles, tandis que d'autres visent à développer votre sens artistique.

Un nombre croissant de reflex numériques d'entrée de gamme (et de nombreux compacts) proposent aussi des sous-modes qui se cachent dans le menu de l'appareil. Parmi les plus appréciés, on trouve Neige/Plage, qui ajuste l'exposition de manière à rendre le blanc plus blanc. Dans des conditions de forte luminosité, l'appareil risque de sous-exposer la neige, ce qui aboutit à des images grises et ternes. On peut aussi citer Éclairage à la bougie et

Crépuscule, qui veillent à ce que le réglage de la balance des blancs (pages 62-63) ne compense pas excessivement la lumière rosée en la rendant trop bleue, ce qui ôterait tout son charme à un coucher de soleil rouge.

En plus de ces réglages correctifs, il y a aussi des effets artistiques, comme High Key et Low Key, qui ajustent l'exposition pour créer une photo très lumineuse (High Key) ou très sombre (Low Key)

Filtres artistiques

Pop art	Soft focus	Tonalité lumineuse

Quelques appareils ont des modes prédéfinis, comme les filtres artistiques d'Olympus, qui sont appliqués dès la prise de vue.

Ton neutre et lumineux   Sténopé   Filtre granuleux

Mode Programme

Le mode Programme est à mi-chemin entre les modes Scène automatiques et les modes semi-automatiques et manuel.

Tous les reflex numériques ont un mode Programme signalé par la lettre P. Dans ce mode, l'appareil règle l'ouverture du diaphragme et la vitesse, et en apparence au moins, il y a peu de différence avec le mode Tout automatique. Les deux modes diffèrent toutefois par deux aspects.

Tout d'abord, en mode Tout automatique, divers réglages et fonctions ne sont souvent pas accessibles. Il s'agit du mode de mesure de l'exposition, de la correction d'exposition (pages 40-41), du bracketing (pages 44-45), de la correction d'exposition au flash (pages 96-97), mais surtout, certains appareils ne permettent pas de produire des fichiers Raw (pages 114-117) en mode Auto.

Par conséquent, le décalage de programme offre davantage de possibilités lors de la sélection de la combinaison diaphragme-vitesse, ce qui laisse aussi plus de libertés qu'en mode Tout automatique (qui règle et verrouille le couple ouverture-vitesse). Mais comme l'appareil continue à régler l'exposition initiale, vos photos restent correctement exposées. L'utilisation du décalage de programme est donc un excellent moyen de tester différents réglages d'ouverture et de vitesse sans compromettre la réussite des clichés, à condition de faire confiance au système de mesure de l'exposition de l'appareil.

Décalage de programme

En plus du verrouillage de certains réglages, les modes Auto et Programme diffèrent aussi par un autre aspect important. Même si, en mode Programme, l'appareil règle automatiquement un couple vitesse-diaphragme initial lorsque le déclencheur est enfoncé à mi-course, il est possible de modifier cette combinaison, généralement en faisant tourner une molette de commande, en conservant la même valeur d'exposition. Cela se nomme le décalage de programme. Cette opération permet, par exemple, d'augmenter la vitesse d'obturation de 1/60 s à 1/250 s pour figer l'action, et l'appareil augmente automatiquement l'ouverture du diaphragme de deux stops pour compenser la vitesse supérieure (page 13).

De même, si vous voulez réduire l'ouverture pour agrandir la profondeur de champ pour une photo de paysage, par exemple, l'appareil ralentit automatiquement la vitesse pour conserver l'exposition globale.

Le décalage de programme permet de modifier la combinaison ouverture-vitesse basée sur les valeurs d'exposition initialement mesurées par l'appareil. Ici, l'ouverture a été réglée sur les valeurs maximale (f/4) et minimale (f/22) possibles. L'effet sur la profondeur de champ ne laisse aucun doute.

1/2000 s à f/4

1/50 s à f/22

Mode semi-automatique : Priorité à la vitesse

Les reflex numériques ont deux modes semi-automatiques : l'un contrôle l'ouverture du diaphragme, l'autre la vitesse d'obturation.

En mode semi-automatique Priorité à la vitesse (repéré par un S ou Tv sur la molette de sélection des modes ou dans le menu), vous réglez la vitesse d'obturation à l'aide de la molette de commande et l'appareil règle automatiquement l'ouverture adaptée à la luminosité ambiante.

La principale motivation au réglage d'une vitesse d'obturation spécifique est de pouvoir figer l'action comme on veut (contrairement au mode Sport qui règle une vitesse rapide que vous vouliez ou non figer l'action).

Par temps ensoleillé, des vitesses d'obturation standard de 1/125 s ou 1/250 s permettent généralement de parvenir à un bon compromis entre figer les mouvements du sujet et assurer une profondeur de champ suffisante. Tester les vitesses aux deux extrémités de l'échelle peut aussi en valoir la peine pour vérifier leurs effets sur les clichés.

Lors du calcul de la vitesse requise pour figer l'action, souvenez-vous aussi que les objets qui se dirigent vers vous n'exigent pas une vitesse aussi rapide que les objets qui passent devant l'objectif de gauche à droite ou en sens inverse. Ainsi, une voiture roulant plus ou moins dans votre direction peut être figée à 1/125 s, tandis qu'un bolide passant devant vous demande une vitesse d'au moins 1/1000 s ou 1/2000 s.

Les temps de pose longs produisent des photos dans lesquelles les objets en mouvement sont flous. Photographier une cascade, par exemple, avec une vitesse d'obturation supérieure à une seconde crée un effet doux et fluide. Les vitesses d'obturation prolongées exigent toutefois de fixer l'appareil sur un pied ou de le poser sur une surface stable pour éviter les bougés.

Certains appareils affichent un avertissement quand le cliché risque d'être surexposé parce que vous essayez de régler une vitesse trop basse ou, inversement, pour éviter une sous-exposition à cause d'une grande ouverture.

Les temps de pose longs vont de 1 à 30 s. On trouve aussi la pose B ou Bulb sur la plupart des appareils. Avec ce réglage, l'obturateur reste ouvert tant que le déclencheur est enfoncé.

La pose B est utile dans les situations de prise de vue qui demandent une très longue exposition, comme la photographie de feux d'artifice et d'étoiles filantes. Elle est souvent utilisée en tandem avec une télécommande pour éviter d'infliger la moindre secousse à l'appareil photo.

↑ Cette photo de feux de voitures a été prise avec un temps de pose de 30 s en fixant l'appareil sur un trépied. Les feux laissent une trace en S qui guide le regard à travers le cliché.

↓ La vitesse d'obturation a des répercussions importantes sur vos images, surtout lorsqu'elles représentent des éléments en mouvement. Voulez-vous figer le mouvement ou, au contraire, préférez-vous le flouter par un temps de pose prolongé ? C'est encore un moyen d'ajouter une touche artistique dans une photographie.

1/640 s

1/80 s

1/20 s

1 s

Mode semi-automatique : Priorité à l'ouverture

Tout comme la priorité à la vitesse permet de régler la vitesse d'obturation, la priorité à l'ouverture permet de choisir l'ouverture.

En mode semi-automatique Priorité à l'ouverture (repéré par un A ou Av sur la molette de sélection des modes ou dans le menu), vous réglez le diamètre de l'ouverture et l'appareil choisit automatiquement la vitesse adaptée à la luminosité.

Comme nous l'avons mentionné précédemment, l'ouverture ne se contente pas de réguler la quantité de lumière qui atteint le capteur : elle contrôle aussi la profondeur de champ, qui dicte la part de la scène qui est nette. Une grande valeur d'ouverture

produit une profondeur de champ réduite, tandis qu'une petite ouverture aboutit à une grande profondeur de champ. La priorité à l'ouverture permet donc de maîtriser la profondeur de champ. La méthode de réglage varie selon le modèle de l'appareil, mais la commande ou la molette de réglage est facilement accessible.

Si votre appareil dispose d'un bouton de contrôle de la profondeur de champ, vous pouvez voir de quelle manière le réglage de l'ouverture affecte la scène. Choisissez une scène dont le sujet est clairement défini (une personne, par exemple). Faites la mise au point sur le sujet et, si possible, zoomez ou rapprochez-vous pour que la tête et les épaules remplissent le viseur.

Ce cliché coloré d'un papillon a été pris avec un objectif très rapide, à *f*/1.2. Une ouverture aussi grande réduit considérablement la profondeur de champ, ce qui a transformé les jonquilles à l'arrière-plan en un fond abstrait de taches jaunes et vertes.

Réglez une grande ouverture ($f/4$, par exemple) et appuyez sur le bouton de contrôle de la profondeur de champ. Le viseur reste clair (grâce à la grande ouverture) et le fond reste flou. Ensuite, réduisez l'ouverture (à $f/8$). Quand vous appuyez sur le bouton de contrôle de la profondeur de champ, le viseur s'assombrit, mais le fond est plus net. Recommencez cet exercice avec la petite ouverture. Le viseur peut parfois s'assombrir à tel point que vous ne verrez plus le fond, mais en cas de forte luminosité, vous constaterez que l'arrière-plan reste assez net.

Un objectif autorisant une très grande ouverture, comme $f/2$ voire $f/1.8$ ou $f/1.4$ est dit rapide car il permet de régler des vitesses d'obturation plus élevées que les objectifs lents. Les objectifs rapides sont très prisés, d'une part parce qu'ils permettent d'atteindre une très faible profondeur de champ et, d'autre part parce qu'il est alors possible de tenir votre appareil à la main à faible éclairage ambiant.

Beaucoup de gens s'interrogent, à juste titre, sur la différence entre les prises de vue avec le décalage de programme et la priorité à l'ouverture ou à la vitesse. Avec le décalage de programme, l'appareil examine diverses combinaisons prédéfinies de vitesse et d'ouverture et le décalage ne porte parfois que sur le diaphragme, sans changer la vitesse. Les priorités à l'ouverture ou à la vitesse offrent plus de précision. En outre, la valeur définie à l'aide de la molette est conservée.

$f/16$ 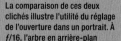 $f/5.6$

La comparaison de ces deux clichés illustre l'utilité du réglage de l'ouverture dans un portrait. À $f/16$, l'arbre en arrière-plan détourne le regard du sujet de la photo, mais avec une ouverture de $f/5.6$, le flou atténue considérablement le fond.

Mode Manuel

Pour une mainmise totale sur l'appareil photo, utilisez le mode Manuel dans lequel on règle à la fois l'ouverture et la vitesse.

Vous serez certainement un peu effrayé au début à l'idée de régler à la fois le diaphragme et la vitesse. Il est vrai que cela exige de la pratique et que toutes vos photos ne seront pas toujours exploitables. De nombreux professionnels n'utilisent plus que le mode Manuel car l'interprétation des conditions d'éclairage n'a plus aucun secret pour eux. Souvenez-vous aussi que vous n'êtes pas entièrement livré à vous-même quand vous activez ce mode. L'appareil continue à mesurer l'exposition de la scène photographiée (avec le mode de mesure de votre choix) et vous communique suffisamment d'informations pour vous aider à obtenir une exposition correcte.

Ces informations ont la forme d'un indicateur de niveaux d'exposition qui est visible dans le viseur et parfois aussi sur le haut du boîtier dans un écran LCD. Le réglage de l'ouverture ou de la vitesse à l'aide de la molette de commande ou de contrôle déplace un indicateur le long de l'échelle. L'exposition idéale correspond au repère situé au milieu de l'échelle. Il y a surexposition ou sous-exposition quand l'indicateur se trouve à droite ou à gauche du centre. Traditionnellement, les échelles vont jusqu'à 2 stops au-delà ou en deça du choix du posemètre. Un avertissement clignote généralement quand les réglages dépassent plus ou moins 2 stops. Le mode Manuel est certainement le meilleur moyen de bien comprendre la relation entre le diaphragme et la vitesse.

Dans des conditions d'éclairage très contrastées, quand le photographe doit choisir les zones qu'il souhaite exposer correctement, le mode Manuel permet de prendre soi-même les décisions sans laisser faire l'appareil. Quand vous savez interpréter des scènes particulières, vous pouvez utiliser la molette pour régler l'ouverture de diaphragme (ou la vitesse) exacte que vous voulez, puis ajuster la vitesse (ou l'ouverture) en fonction de l'information communiquée par l'indicateur de niveau d'exposition. Au fil du temps, vous apprendrez à apprécier l'extrême liberté conférée par le mode Manuel.

Repère d'exposition standard

Repère de niveau d'exposition

En mode Manuel, l'indicateur de niveau d'exposition vous signale que la photo va être correctement exposée ou non. Dans cet exemple, l'exposition de 1/200 s à *f*/6.3 pour 400 ISO aboutit à un cliché légèrement sous-exposé si l'on s'en tient au repère d'exposition standard. Mais la principale motivation du choix du mode Manuel est que c'est vous qui décidez en dernier recours de l'exposition voulue, en fonction de la scène photographiée. Vous pouvez surexposer délibérément une scène pour créer une photo High Key ou, au contraire, la sous-exposer pour rendre ses couleurs plus intenses.

Cette photo d'un Birman en position de prière est très contrastée. Si l'appareil avait choisi les réglages, l'exposition aurait révélé les détails dans les ombres, mais les mains jointes auraient été surexposées. Le contrôle manuel permet de régler l'exposition sur les mains (certainement l'élément le plus intéressant de la photographie), ce qui a assombri davantage les zones d'ombres, entraînant la disparition des détails. Cela crée toute l'atmosphère de la photo.

Correction d'exposition

Le contrôle de la correction d'exposition est un autre moyen de corriger les valeurs d'exposition quand l'éclairage met le système de mesure en échec.

Comme nous l'avons vu, l'éclairage de la scène que vous voulez photographier est parfois tel que l'appareil ne parvient pas à proposer une exposition correcte favorable à une bonne exposition du sujet.

Différentes situations peuvent induire le posemètre en erreur et la plus fréquente est la présence de grandes zones noires ou blanches dans le cadre. Par principe, le système de mesure établit une moyenne des tons présents dans la scène, des hautes lumières aux ombres, en passant par les tons intermédiaires, en produisant un gris moyen. Mais s'il y a de grandes zones blanches ou noires, l'appareil aura tendance à sur ou sous-exposer respectivement le cliché. Les scènes de neige et de plage sont souvent sous-exposées par l'appareil.

Dans cette vue à contre-jour, le ciel clair entraîne la sous-exposition du pont par le posemètre. L'application d'une correction d'exposition de +1,5 suffit à exposer le pont correctement.

L'exposition du sujet risque aussi d'être incorrecte lorsqu'il est éclairé par derrière, quand il se trouve à contre-jour. L'exposition est calculée en tenant surtout compte de l'arrière-plan clair et le sujet est sous-exposé. En cas de sous-exposition extrême, on n'obtient plus qu'une silhouette.

Enfin, comme nous l'avons vu précédemment, le contraste élevé d'une scène particulière peut vous inciter à favoriser les hautes lumières ou les ombres.

Dans tous les cas, au lieu d'utiliser le mode Manuel pour désactiver les automatismes de l'appareil, vous pouvez utiliser la correction d'exposition qui est accessible de différentes manières en fonction de l'appareil. Sur la plupart des reflex, vous trouverez un bouton qu'il faut maintenir enfoncé tout en faisant tourner une molette pour éclaircir ou assombrir l'image. Le niveau de correction, généralement mesuré en demi ou en quart de valeur, est visible sur l'indicateur de niveau d'exposition dans le viseur.

La correction d'exposition est uniquement accessible dans les modes Programme et Priorité à l'ouverture et à la vitesse.

La neige entraîne souvent la sous-exposition. Dans cet exemple, une correction d'exposition de +2 a été appliquée pour donner plus de réalisme à la scène.

Verrouillage d'exposition

Tous les reflex numériques permettent de mesurer la luminosité d'une partie de la scène, de verrouiller l'exposition, puis de recomposer le cliché.

Le verrouillage d'exposition est une technique professionnelle essentielle qui est employée depuis des années, surtout avant l'arrivée des systèmes de mesure avancés aujourd'hui proposés par de nombreux appareils numériques. Son principe est simple. Supposons qu'un sujet clair soit entouré d'un arrière-plan et d'un premier plan sombres. En d'autres termes, les valeurs de luminosité du sujet sont différentes de celles du reste de la scène. Si le sujet remplit la partie centrale de la vue, il suffit d'utiliser la pondération centrale ou, mieux encore, la mesure spot. L'appareil base l'exposition sur le sujet, en ignorant l'arrière-plan sombre et la photo est correctement exposée du point de vue du sujet. Mais que se passe-t-il si le sujet n'est pas censé

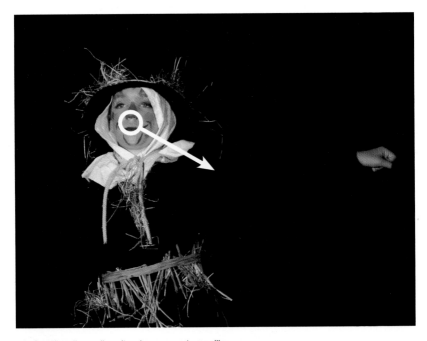

Laissé seul juge, l'appareil aurait probablement surexposé le visage de l'acteur car il est plongé dans l'obscurité. Utilisez la mesure spot, verrouillez l'exposition sur le visage, puis recomposez le cliché pour exposer l'acteur correctement.

être centré dans la vue ? Dans des cas extrêmes, même la mesure multizone peut se révéler incapable d'identifier le sujet de la scène. La mesure est faussée par les zones sombres et le sujet est surexposé.

Tenez-vous-en plutôt à la pondération centrale ou à la mesure spot et faites la mise au point sur le sujet de la photo en enfonçant le déclencheur à mi-course. Cette action active aussi le posemètre qui règle l'exposition. Verrouillez maintenant l'exposition en gardant le déclencheur enfoncé à mi-course ou en appuyant sur le bouton de verrouillage de l'exposition (AE) qui se trouve au dos du boîtier. Vous pouvez alors recadrer la vue en décentrant le sujet, puis prendre la photo en enfonçant entièrement le déclencheur.

Le verrouillage de l'exposition est pratique pour prendre une série de clichés homogènes en vue de la réalisation d'un panorama.

Bracketing

En cas de doutes concernant le réglage de l'exposition, prenez une série de clichés avec des valeurs d'exposition légèrement différentes et remettez le choix à plus tard. Ce procédé se nomme le bracketing.

Parvenir à l'exposition correcte avec un appareil numérique est indispensable car le capteur est moins tolérant que la pellicule en ce qui concerne la sous-exposition ou la surexposition. La sous-exposition bouche les ombres, qui deviennent alors complètement noires et perdent tous leurs détails. La surexposition brûle les hautes lumières, qui deviennent d'un blanc immaculé et sans détails.

Tous les reflex numériques ont une fonction de bracketing automatique qui effectue plusieurs prises de vue en succession rapide, chacune avec une exposition légèrement différente. Vous pouvez déterminer les écarts entre chaque cliché depuis le menu de l'appareil. Il est généralement possible de régler des variations allant de 1/3 à 2 stops. Le nombre total de clichés réalisés varie, mais il s'élève souvent à trois, même si des appareils professionnels peuvent effectuer jusqu'à sept, voire neuf expositions.

Le bracketing est fréquemment employé dans le cadre de la photographie à plage dynamique étendue (HDR, pages 88-89). Les images HDR sont obtenues à partir d'une série d'expositions de la même scène pour capturer les détails aussi bien dans les hautes lumières que dans les ombres. Ensuite, toutes les expositions sont réunies dans l'ordinateur pour ne former qu'une seule image ayant une plage de tons beaucoup plus complète que celle qui peut être obtenue dans un seul cliché. Le bracketing produit de meilleurs résultats quand l'appareil est monté sur un trépied pour éviter de modifier le cadrage.

+1 stop

0

−1 stop

← Même si cette photo a été prise en fin d'après-midi, le ciel est toujours suffisamment clair pour provoquer une surexposition quand le premier plan est correctement exposé. Les trois clichés du bracketing ont chacun un écart d'exposition de 1 stop.

↓ La combinaison des trois expositions aboutit à une seule image qui conserve des détails à la fois dans le ciel et au premier plan.

Bracketing pour le HDR

Histogrammes

Toutes les images numériques sont composées de plusieurs valeurs de tonalités réparties sur une échelle allant du noir pur au blanc pur. Les tons présents dans une image sont représentés sur un graphique.

Le graphique produit par les tons présents dans une image donnée se nomme un histogramme. C'est simplement une représentation visuelle de la répartition des tons dans une image. Les valeurs de luminosité de chaque pixel sont réparties sur une échelle allant de 0 à 255, où 0 (à gauche) correspond au noir pur et 255 (à droite) au blanc pur. Les barres indiquent le nombre de pixels de chaque valeur de luminosité contenue dans l'image.

Être capable d'interpréter les histogrammes aide à évaluer rapidement l'exposition globale de la photo car ils offrent une indication bien plus précise qu'un coup d'œil à l'écran LCD. En outre, l'aperçu est difficile à voir en cas de forte luminosité et ne permet pas de se faire une opinion objective de la véritable exposition.

C'est surtout la forme et la répartition globale de l'histogramme qui compte. Si la majorité des valeurs sont rassemblées à gauche, la photo est probablement sous-exposée. Si le déséquilibre penche en faveur de la droite, il faut s'attendre à une surexposition. Si les pixels se trouvent uniquement aux deux extrémités, alors tout va mal. Un pic de pixels sur le côté gauche indique que les ombres sont bouchées et sans détail, tandis qu'une grande quantité de pixels sur le côté droit signale que les hautes lumières sont brûlées, c'est-à-dire que le ciel surexposé est complètement blanc et dépourvu de détails.

L'intérieur moderne des pavillons chinois se caractérise souvent par des murs et un plafond blancs. Quand s'y ajoute la lumière réfléchie de tous les côtés, on ne peut que constater l'absence d'ombres denses, comme l'histogramme le confirme. Avec ce type de scène extrêmement lumineuse, il est important d'éviter l'accumulation de pixels à l'extrême droite de l'histogramme car elle signale des hautes lumières brûlées et une grave surexposition.

Cette photographie de l'artiste chinois Shao Fan a trois tons distincts, comme l'indique l'histogramme. Une grande partie de la vue est occupée par le tableau qui est d'un gris plutôt foncé (représenté par le grand pic à gauche du centre de l'histogramme). Les autres tons distincts sont le noir du gilet et des cheveux (le pic de gauche), et le blanc de la chemise et du mur (le pic de droite).

La répartition équilibrée des tons de cet histogramme indique qu'il n'y a pas de zones très claires ou très sombres dans cette photo prise sur une île grecque.

2

Prise de vue

Systèmes autofocus

L'époque à laquelle la mise au point se faisait à l'aide d'un verre dépoli à champ coupé et d'un microprisme est depuis longtemps révolue.

Aujourd'hui, la plupart des appareils photo numériques sont équipés de systèmes autofocus qui permettent le plus souvent d'obtenir un sujet parfaitement net.

La majorité des systèmes de mise au point intègrent des capteurs autofocus habituellement placés dans le bas du boîtier, juste devant le miroir reflex principal, pour analyser la lumière qui pénètre dans l'appareil. La luminosité de la scène est divisée en deux, de part et d'autre de la lentille. Les formes

d'onde de la lumière (les bosses et les creux) de chaque moitié sont comparées pour déterminer la différence de phase. En se basant sur cette comparaison, l'appareil sait si le sujet est parfaitement net ou plus ou moins flou. La mise au point de la lentille peut ensuite être ajustée à l'aide de minuscules servomoteurs. Ce système dit à détection de phase est une forme d'autofocus passif.

Une autre forme d'autofocus passif est dite à mesure de contraste. Elle part du principe que lorsque l'image est nette, les pixels adjacents sont plus contrastés que quand ils sont flous. L'appareil photo ajuste la mise au point de l'objectif jusqu'à

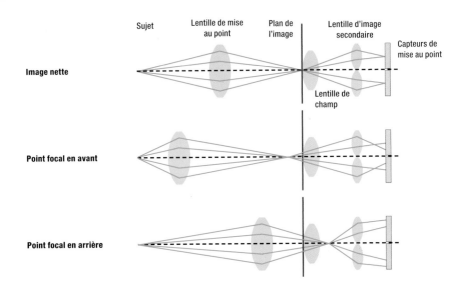

Ce schéma illustre le déplacement vers l'avant ou vers l'arrière de la lentille par rapport au point auquel le sujet est net sur le plan de l'image. Des paires de petites zones semi-transparentes sur le plan de l'image laissent passer des faisceaux de lumière à travers une lentille de champ et des lentilles secondaires jusqu'à deux capteurs optiques. La différence d'intensité mesurée est exploitée pour la mise au point.

parvenir au niveau de contraste le plus élevé. Des deux systèmes d'autofocus passifs, le système à détection de phase est souvent plus rapide et plus précis. De plus en plus de reflex numériques utilisent les deux systèmes passifs : la détection de phase quand la visée s'effectue à travers le viseur et la mesure du contraste quand le cadrage s'effectue à l'aide de l'écran LCD, qui se trouve au dos du boîtier (mode Live View ou Visée par l'écran).

Les systèmes autofocus passifs ont généralement remplacé les systèmes actifs dans lesquels des ultrasons ou une lumière infrarouge sont émis vers le sujet. La distance entre l'appareil et le sujet est calculée en se basant sur le temps nécessaire au retour du signal réfléchi. Les systèmes actifs sont moins précis que l'autofocus passif et produisent de mauvais résultats en cas de prise de vue à travers une vitre.

En revanche, l'autofocus passif a plus de mal à faire la mise au point à faible éclairage car le manque de lumière nuit à la précision des mesures. Pour résoudre ce problème, les reflex numériques ont souvent un faisceau d'assistance autofocus qui émet des éclairs pour illuminer le sujet.

Sortie du capteur

Capteur A   Capteur B

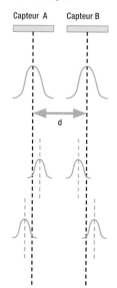

Espace correct entre des images doubles

d

Espace étroit entre des images doubles

Espace large entre des images doubles

Si les deux capteurs constatent exactement la même intensité (sur un extrait de la même image), alors la mise au point est probablement correcte. Si la mise au point est floue, les images doubles ne sont pas alignées avec les capteurs. L'appareil corrige la mise au point et vérifie le résultat jusqu'à ce que la photo soit nette.

Modes autofocus

Les sujets ne manquent pas. Certains sont immobiles, d'autres en mouvement. D'autres encore s'arrêtent et repartent sans cesse. Quel mode de mise au point convient à chacun ?

Ponctuel

Les reflex proposent généralement deux ou trois modes de mise au point. Le premier, et probablement le plus apprécié, est le mode Ponctuel (mode Single Shot ou Single Servo). Le mode Ponctuel est privilégié pour photographier des objets statiques. Dans ce mode, quand vous enfoncez le déclencheur à mi-course, l'appareil fait la mise au point sur le sujet. Un signal sonore est émis ou un voyant de confirmation apparaît dans le viseur. La mise au point est verrouillée et la photo peut être prise.

Continu

Le second mode est le mode Continu (ou AI Servo). Il est recommandé pour les sujets en mouvement. En mode autofocus continu, l'appareil ajuste constamment la mise au point tant que le déclencheur est enfoncé à mi-course. Ainsi, le sujet demeure net même s'il s'éloigne ou s'approche de l'appareil. La mise au point n'est jamais verrouillée et la photo peut être prise dès que vous êtes satisfait de la composition.

En mode Continu, la plupart des reflex numériques ont désormais une forme d'autofocus prédictif. Cette fonction compense le léger décalage entre le moment où le doigt appuie sur le déclencheur et le moment où la photo est prise. Même si cet écart a été réduit au minimum sur les reflex numériques,

une fraction de seconde peut faire toute la différence entre une photo nette et une photo floue quand le sujet se déplace. L'autofocus prédictif produit de bons résultats quand le sujet se déplace à une vitesse constante, même si certains modèles sont capables de prédire la mise au point quand le sujet accélère ou ralentit.

La réussite de l'autofocus prédictif dépend aussi en partie du niveau d'ajustement nécessaire. Avec un long téléobjectif, par exemple, quand le sujet remplit le champ de vision, l'appareil doit appliquer un ajustement supérieur à celui qui est requis pour un objectif standard. De plus, les objectifs coûteux ont des servomoteurs qui réagissent plus rapidement aux ajustements de la mise au point.

Les appareils photo haut de gamme parviennent à poursuivre le sujet, même lorsqu'il sort du collimateur choisi, car les collimateurs voisins le reconnaissent. La poursuite est généralement plus précise avec une mise au point prolongée sur le sujet, en enfonçant le déclencheur à mi-course, avant de prendre la photo.

Quelques reflex numériques proposent une troisième option, l'autofocus automatique ou AI Focus. L'appareil passe du mode ponctuel au mode continu lorsqu'un objet immobile commence à bouger.

Cette série de photos d'acrobaties en quad a été prise avec l'autofocus prédictif. Ce mode permet au sujet de rester net même lorsqu'il approche de l'appareil photo. Souvenez-vous toutefois qu'il n'est pas indispensable d'activer le mode continu pour photographier des sujets en mouvement. De nombreux photographes qui connaissent leur sujet sont souvent capables d'anticiper la prise de vue et obtiennent de meilleurs résultats en mode autofocus ponctuel. Tout dépend du sujet, de la situation de prise de vue et des goûts personnels.

Modes de zone autofocus

Même les systèmes autofocus des reflex les plus sophistiqués nécessitent parfois l'intervention du photographe pour le choix du mode de zone autofocus.

Il ne faut pas confondre les modes de zone autofocus avec les modes autofocus (ponctuel ou continu) que nous avons vus précédemment. Les modes de zone AF déterminent la partie du viseur employée pour la mise au point sur le sujet.

Les reflex numériques ont plusieurs collimateurs AF qui forment un motif dans le viseur. Le nombre de collimateurs varie beaucoup d'un appareil à l'autre. En moyenne, il y en a neuf, mais les modèles les plus sophistiqués ont jusqu'à 50 collimateurs potentiellement sélectionnables.

En général, les appareils ont deux modes de zone AF : automatique (ou dynamique) et manuel (ou spot).

Tous les collimateurs sont actifs en mode de zone automatique. Quand ce mode de zone est associé au mode AF Ponctuel et que vous enfoncez le déclencheur à mi-course, l'appareil photo fait la mise au point sur l'objet le plus proche de l'objectif.

Les collimateurs utilisés s'allument dans le viseur. Comme cet objet n'est pas nécessairement le sujet de la photo, les reflex numériques ont aussi un mode de zone AF Manuel qui permet de sélectionner un autre collimateur. La méthode de sélection du collimateur varie en fonction des appareils, mais celui qui est choisi s'éclaire toujours au moment de la mise au point. Vous choisirez le plus souvent le collimateur central pour la mise au point, car le sujet se trouve probablement au milieu de la vue. Le collimateur central est le plus sensible, le plus rapide et le plus précis à faible éclairage. L'intérêt de pouvoir sélectionner n'importe quel collimateur est qu'il est possible de choisir de faire la mise au point sur un sujet décentré sans avoir à recadrer.

Le mode de zone automatique prend tout son sens en mode AF Continu. Quand ces deux modes sont associés, la mise au point est faite sur le sujet en enfonçant le déclencheur à mi-course. Ensuite, l'appareil reconnaît le sujet, et même s'il quitte le collimateur initialement sélectionné, les collimateurs voisins le détectent et l'appareil ajuste la mise au point. C'est ainsi que l'autofocus prédictif parvient à suivre le sujet.

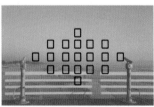

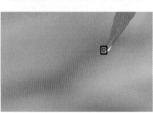

↑ Extension de collimateur AF

← AF Spot

Zone autofocus du Canon EOS 7D

L'EOS 7D de Canon a 19 collimateurs sélectionnables individuellement et propose aussi les modes de zone AF Spot et Extension de collimateur. Le premier mode permet de réduire la taille du collimateur pour faire la mise au point sur un objet qui, vu à travers le viseur, est plus petit qu'un collimateur standard. Le second met à contribution les collimateurs voisins de celui qui était initialement sélectionné. Si le collimateur ne détecte pas un contraste suffisant pour faire la mise au point, ce mode permet de faire appel aux collimateurs voisins.

La sélection manuelle d'un collimateur permet de choisir la zone de la mise au point. Si le collimateur central avait été sélectionné dans cette photo, l'arrière-plan aurait été net et le visage aurait été flou, ce qui n'était pas le but. Par le passé, les photographes utilisaient une technique nommée le verrouillage de mise au point. Dans cet exemple, le photographe aurait choisi le collimateur central pour faire la mise au point sur l'homme, puis il aurait maintenu le déclencheur enfoncé à mi-course pour verrouiller la mise au point. Ensuite, il aurait recomposé le cliché et pris la photo. Même si cette technique est toujours employée aujourd'hui, le sujet est parfois légèrement flou à cause du déplacement de l'appareil au moment du recadrage. Il est bien plus sûr de choisir le collimateur approprié.

Mise au point manuelle

Malgré la sophistication des systèmes autofocus disponibles dans tous les reflex numériques, vous obtiendrez parfois de meilleurs résultats avec la mise au point manuelle.

Même si certains compacts autorisent la mise au point manuelle, elle est souvent effectuée au moyen d'un commutateur motorisé peu pratique et lent. L'un des avantages offerts par les reflex numériques vient de leurs objectifs interchangeables munis d'une bague de mise au point. Quand l'appareil est en mode de mise au point manuelle, le point peut être ajusté de façon intuitive en faisant tourner la bague qui se trouve sur le canon de l'objectif.

La méthode d'activation du mode manuel varie en fonction des modèles. Certaines marques placent un bouton sur le côté du boîtier, d'autres fabriquent des objectifs ayant un commutateur physique. Sur certaines combinaisons objectif-boîtier, l'autofocus est désactivé par simple manipulation de la bague de mise au point.

Le plus souvent, vous voudrez passer en mise au point manuelle quand les capteurs AF de l'appareil ne parviendront pas à détecter un contraste suffisant dans la scène. Vous entendrez alors le bruit des servomoteurs s'efforçant de faire la mise au point. Une scène peut manquer de contraste pour deux raisons principales : un faible éclairage

Cette photo de dunes de sable blanc présente des zones peu contrastées photographiées par un faible éclairage. Ce sont précisément les conditions qui imposent une mise au point manuelle. Le choix d'une petite ouverture veille aussi à ce que tout soit net.

(quand il n'est pas possible d'utiliser le flash) ou une couleur unie, comme un grand ciel bleu.

La macrophotographie impose souvent aussi la mise au point manuelle. Dans ce type de photographie, la grande proximité du sujet avec l'objectif entraîne une profondeur de champ d'autant plus réduite qu'un faible éclairage ambiant demande d'ouvrir le diaphragme au maximum. Il est alors préférable de conserver le plus de contrôle possible de façon à pouvoir choisir la zone précise du sujet sur laquelle effectuer la mise au point.

Enfin, dans certaines photos d'action où le sujet entre dans le cadre au dernier moment (comme une

voiture de course surgissant à la sortie d'un virage), vous constaterez qu'une prémise au point manuelle sur un endroit par lequel le sujet passera réduit le temps de réaction de l'appareil.

En photographie macro ou de gros plan, de meilleurs résultats sont obtenus avec la mise au point manuelle. Comme la profondeur de champ généralement imposée par ce type de photographie est très faible, la mise au point manuelle permet d'être sûr que la zone voulue sera nette (ici, les yeux de l'insecte).

La mise au point manuelle est parfois le seul moyen d'obtenir des clichés nets en photographie d'action. Ici, la moto ne surgit qu'au dernier moment, ne laissant pas le temps à l'autofocus de fonctionner

correctement. La mise au point a été faite manuellement sur la crête de la colline et la photo a été prise quand la moto est entrée dans le cadre.

Live View ou visée par l'écran

Auparavant uniquement disponible sur les compacts, la visée par l'écran est devenue une fonction commune à la majorité des reflex numériques récents. Est-elle vraiment utile ?

La visée par l'écran permet surtout de visionner la scène à photographier sur l'écran LCD de l'appareil photo. Dans le cas d'un compact, la lumière traverse l'objectif et impressionne le capteur. L'image est ensuite relayée à l'écran LCD situé au dos de l'appareil où elle s'affiche quasiment en temps réel. Le visionnage de la scène sur l'écran LCD élimine la nécessité d'un viseur distinct, ce qui contribue à réduire l'encombrement de l'appareil. Comme un compact est petit et léger, le tenir à bout de bras ne pose aucun problème et la vue affichée est exactement celle qui sera capturée au moment de la prise de vue.

Un appareil photo reflex numérique est muni d'un miroir reflex. La lumière qui entre dans l'objectif vient frapper le miroir, qui la réfléchit ensuite sur le viseur optique via un prisme. Quand l'image s'est formée dans le viseur, le fait d'enfoncer le déclencheur relève le miroir (et ouvre l'obturateur), ce qui permet à la lumière d'atteindre le capteur, qui capture alors l'image.

En raison de la conception du miroir reflex, du poids du boîtier, mais aussi des habitudes, la visée par l'écran n'était pas considérée comme adaptée aux reflex.

Aujourd'hui, la plupart des reflex permettent la visée par l'écran. Au moment de l'activation du mode Live View, le miroir se relève et l'obturateur s'ouvre. La lumière peut alors atteindre directement le capteur après avoir traversé l'objectif, pour être relayée à l'écran LCD, comme dans un appareil compact.

Le principal inconvénient de la visée par l'écran dans la plupart des reflex est qu'elle n'est pas compatible avec le système autofocus à détection de phase qui est le plus rapide et le plus précis (car le miroir reflex qui joue un grand rôle dans la détection de phase est relevé en mode Live View). L'appareil emploie le système à mesure de contraste qui est bien plus lent. Quelques appareils photo utilisent la détection de phase avec la visée par l'écran, mais l'écran devient noir quand le miroir reflex se baisse et interrompt la transmission de la lumière au capteur. Quand la mise au point est faite, l'image réapparaît et la photo peut être prise. Quelques rares appareils ont un troisième capteur servant à l'affichage en temps réel sur l'écran LCD. L'utilisation de la détection de phase n'entraîne alors pas la disparition de la vue de l'écran.

Par conséquent, la visée par l'écran sur un reflex est déconseillée pour les objets animés. De plus, comme les reflex pèsent assez lourd, il y a un risque important de bougé et de photos floues lorsque l'appareil est tenu à bout de bras.

Hormis ces inconvénients, quelques arguments plaident en faveur de la visée par l'écran sur un appareil reflex, notamment lorsqu'il est monté sur un trépied. Nous le verrons ensuite.

Vous voyez ici ce qui se produit quand un Canon EOS 500D (le Rebel T1i) est en mode Visée par l'écran. Dans l'illustration du haut, l'appareil est en mode de prise de vue normal. La lumière entre dans l'objectif. Une partie de la lumière est détournée par le miroir reflex vers le prisme où elle est réfléchie selon différents angles avant de sortir par le viseur situé au dos du boîtier. Le reste de la lumière est dirigé vers le capteur autofocus dédié. En mode Live View, le miroir reflex est levé et la lumière peut traverser directement l'objectif jusqu'au capteur imageur principal, ce qui facilite la mise au point. Ensuite, l'image est relayée par le capteur vers l'écran LCD où elle est affichée en temps réel.

Mode de visée par l'écran

Malgré les inconvénients de la visée par l'écran sur un appareil reflex, cette fonction présente quelques nets avantages, surtout liés à des types de photographie particuliers.

L'utilisation de la visée par l'écran pour photographier les objets immobiles en fixant le boîtier sur un trépied (ou en le posant sur une surface stable) permet de grossir la vue de la scène en appliquant un facteur de grossissement d'environ ×10. C'est très utile pour vérifier la mise au point en studio ou en photographie de paysage. Cela permet de grossir la vue pour

vérifier la mise au point automatique effectuée par l'appareil. Un autre procédé consiste à définir la mise au point manuelle, à grossir la vue, puis à faire la mise au point en se référant à la vue grossie.

Une autre fonction appréciable liée à la visée sur écran est la détection des visages. Quand l'appareil détecte la présence d'un ou de plusieurs visages, il l'enferme dans un carré d'identification. Chez certaines marques, l'appareil fait automatiquement la mise au point sur le visage grossi 10 fois. Chez d'autres, il faut préalablement appuyer à mi-course

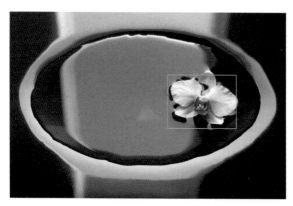

En mode Live View standard, la plupart des appareils emploient le même capteur imageur pour faire la mise au point sur le sujet. Cela signifie qu'il est possible de déplacer le collimateur (le carré vert) sur une partie quelconque de l'image (la fleur). La mise au point est effectuée par simple pression sur le bouton AF (autofocus) ou sur le déclencheur. L'appareil confirme la mise au point. Ensuite, il est possible de grossir la vue affichée pour vérifier la mise au point avant de prendre la photo ou de faire manuellement la mise au point sur l'extrait grossi.

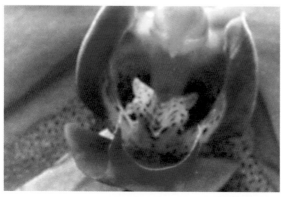

Grossissement ×10

sur le bouton AF (autofocus) ou sur le déclencheur. De nombreux modèles suivent aussi les visages lorsqu'ils se déplacent sur l'écran LCD.

D'autres fonctions Live View sont disponibles en fonction de la marque ou du modèle. En plus du suivi des visages, certains appareils suivent n'importe quel objet quand l'électronique en a assimilé les données.

Même si l'on obtient généralement de meilleurs résultats en fixant l'appareil sur un trépied, certains appareils ont un mode « tenu à la main » qui utilise l'autofocus à détection de phase et qui permet de photographier des objets en mouvement ou avec un angle de prise de vue qui ne facilite pas l'utilisation d'un trépied.

La détection du visage est proposée sur un nombre croissant d'appareils disposant de la visée par l'écran. L'appareil place automatiquement les visages détectés dans un cadre.

Sony α550

Le Sony α550 est relativement unique en son genre car il est muni d'un troisième capteur en haut du boîtier qui relaye l'image vers l'écran LCD même quand le miroir reflex est baissé. Cela autorise la mise au point par détection de phase avec la visée par l'écran.

Balance des blancs

La couleur de la lumière change au gré des conditions atmosphériques et de l'heure du jour. L'appareil photo doit tenir compte de cette évolution pour restituer des couleurs neutres.

Les différents types de lumière ont des valeurs de température de couleur variables, qui sont mesurées en kelvin (K). La lumière blanche standard (lumière du jour) a une température de 5 500 K. La température fait référence à la couleur de la lumière qui serait réfléchie par un corps noir idéal chauffé à 5 500 K dans des conditions de laboratoire. Elle ne doit pas être confondue avec les mesures de la chaleur.

Lorsque la température de la lumière est plus faible (de l'ordre de 2 500 K, au lever ou au coucher du soleil, par exemple), elle est rouge. À l'autre

extrémité du spectre, la lumière réfléchie par le ciel bleu est bien plus chaude (10 000 K environ) et crée une dominante bleue qui se remarque surtout dans les ombres.

Même si l'œil humain est capable de distinguer des températures extrêmes, en général, il considère que la lumière est neutre, de sorte que le blanc paraît blanc. Le cerveau excelle à compenser les légers décalages de la couleur provoqués par les changements de température de la lumière.

En revanche, le capteur de l'appareil enregistre la température originale de la lumière et a besoin d'aide pour effectuer les ajustements réalisés par notre cerveau. Cette aide lui est fournie par le réglage de la balance des blancs. Tous les appareils ont des paramètres prédéfinis pour la balance des blancs.

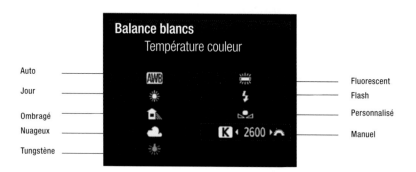

Ce menu est celui d'un appareil reflex Canon. Les options incluent la balance des blancs automatique, la lumière du jour, l'ombre, le ciel couvert, l'éclairage tungstène et fluorescent, le flash, les réglages personnalisés et manuels. Les réglages personnalisés sont utiles pour l'éclairage artificiel

mixte, par exemple. L'appareil étant réglé sur Personnalisé, photographiez un objet de couleur neutre, comme un carton gris ou une feuille de papier. L'appareil définit une valeur de balance des blancs qui autorise une reproduction neutre du support. Des cartons spéciaux à 18 % de gris fournissent de bons

résultats pour la balance des blancs personnalisée, mais une feuille blanche suffit généralement. Le réglage Température de couleur a un indicateur de température de couleur distinct. Il permet de sélectionner précisément la température de couleur mesurée.

Auto

Lumière du jour

Ombragé

Nuageux

Tungstène

Fluorescent

Ces six photos représentent la même scène avec des réglages de balance des blancs différents pour démontrer son effet sur les couleurs. Tungstène, par exemple, est très bleu pour compenser la lumière rouge des ampoules électriques. En général, la balance des blancs automatique produit une couleur neutre correcte. Mais si vous voulez tirer le maximum d'un coucher de soleil, sachez que la balance des blancs automatique va essayer de corriger les teintes rosées en ajoutant du bleu, ce qui fait perdre tout son charme au cliché. Si vous photographiez au format Raw, le réglage de la balance des blancs n'a pas d'importance au moment de la prise de vue car vous pouvez le modifier plus tard, sur l'ordinateur, pour obtenir un résultat plus neutre.

Le reflex numérique

Couchers de soleil et balance des blancs

Vous obtiendrez parfois un coucher de soleil plus réaliste en corrigeant les automatismes de l'appareil. De gauche à droite, trois procédés de balance des blancs ont été appliqués à cette vue : le réglage automatique de l'appareil (4 700 K), un réglage Lumière du jour manuel (5 500 K) et une option Auto Incandescent (3 000 K). Les résultats sont très différents.

Bougé de l'appareil

En photographie, le crime le plus grave est le floutage accidentel de l'image. Cela la rend inexploitable. Ce désagrément est souvent imputable au bougé de l'appareil.

Le bougé de l'appareil se produit quand le boîtier bouge pendant la prise de vue. Même un mouvement très léger au moment de la pression sur le déclencheur peut flouter l'image.

La solution la plus efficace pour éviter le bougé de l'appareil consiste à le fixer sur un solide trépied (plus il est lourd, mieux c'est). Comme il n'est pas toujours pratique de transporter un trépied, vous pouvez prendre quelques précautions pour réduire les risques de bougé.

La première est de tenir votre appareil en restant parfaitement immobile. Cela peut paraître évident, mais il y a une bonne et une mauvaise manière de tenir un appareil reflex numérique. En général, la main droite tient la poignée de l'appareil, tandis que la main gauche soutient la base du boîtier et/ou de l'objectif. Avec les longs téléobjectifs, vous tiendrez l'appareil de manière plus stable si la main gauche soutient uniquement l'objectif. Écartez légèrement les pieds pour garder le corps immobile et, si possible, adossez-vous contre un mur.

Lorsque vous composez la photo, respirez calmement et de manière détendue. Des battements de cœur rapides peuvent faire bouger l'appareil. Expirez avant d'appuyer sur le déclencheur. Enfoncez le déclencheur pour l'activer au lieu d'appuyer dessus brusquement.

La bonne tenue de l'appareil contribue à éviter les bougés et permet aussi d'atteindre facilement les différents boutons et molettes, idéalement sans même avoir à éloigner l'œil du viseur. Au départ, vous ne serez pas très à l'aise, mais au bout de quelques semaines, vos doigts trouveront instinctivement les commandes sans que vous ayez besoin de réfléchir à leur emplacement, ni de détourner votre attention de la scène.

Un autre facteur crucial est la vitesse d'obturation. Une vitesse suffisamment rapide réduit considérablement le risque de bougé de l'appareil au point de le rendre quasi inexistant. Mais qu'est-ce qu'une vitesse suffisamment rapide ? Tout dépend de la longueur focale. Les objectifs à longue focale ont des champs de vision plus étroits, sachant que plus le champ de vision est étroit, plus le bougé est amplifié. On considère que la vitesse d'obturation ne doit pas être inférieure à la réciproque de la longueur focale réelle de l'objectif. Par exemple, si l'objectif a une longueur focale réelle de 50 mm, la vitesse d'obturation ne doit pas être inférieure à 1/50 s. C'est la longueur focale réelle qui est prise en compte. Les capteurs des appareils reflex numériques ont souvent un format inférieur à 35 mm, ce qui a pour effet de prolonger la longueur focale de l'objectif d'un facteur de 1,5 environ (selon les modèles). Par exemple, un objectif 50 mm aura une longueur focale réelle d'environ 75 mm sur la plupart des reflex d'entrée et de moyenne gamme. La vitesse d'obturation minimale à ne pas dépasser pour éviter le bougé est alors de 1/75 s.

Tandis qu'une vitesse de 1/50 s, voire 1/75 s, laisse suffisamment de marge de manœuvre en termes d'exposition à faible éclairage, pour les objectifs à focale plus longue, la vitesse d'obturation minimale peut atteindre 1/750 s (pour un objectif de 500 mm de longueur focale réelle, par exemple), ce qui exige un bon éclairage.

Objectif Canon à stabilisateur d'image (IS)   **Sony α700 Super SteadyShot**

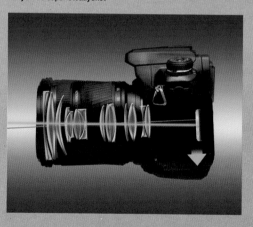

Stabilisation d'image

Les fabricants ont élaboré des solutions pour aider les photographes à produire des photos nettes, même à des vitesses lentes. La technique classique implique des optiques flottantes. Des capteurs gyroscopiques présents dans l'objectif détectent le mouvement et déplacent les éléments flottants à l'aide d'électroaimants qui compensent le mouvement de façon à assurer la stabilité de l'image au moment où elle impressionne le capteur. La photo est nette même si la vitesse d'obturation est plus lente de 3 à 4 stops par rapport à la vitesse recommandée. Une autre technique, plus récente, consiste à effectuer des ajustements au niveau du capteur imageur principal. L'avantage est que l'image est stabilisée quel que soit l'objectif utilisé.

Vitesses d'obturation rapides

Le contrôle de la vitesse d'obturation a des répercussions bien plus profondes que le simple fait d'éviter le bougé de l'appareil. C'est même l'un des principaux moyens d'expression de la créativité du photographe, notamment quand le sujet est en mouvement.

Habituellement, une action rapide est rendue par des images d'une netteté extrême car nous avons naturellement tendance à figer l'action. Cela remonte peut-être à la fin du xixᵉ siècle, quand le photographe Eadweard Muybridge a inventé une technique pour décomposer les mouvements d'un cheval au galop dans une série d'images photographiques. Muybridge a ainsi prouvé que les quatre sabots quittaient le sol à un moment donné. Ce désir de figer l'action n'a pas disparu aujourd'hui. Il permet au spectateur d'examiner à loisir la position des jambes et des bras d'un sprinteur, par exemple. L'attrait de ce type de prises de vue s'explique par le fait qu'il nous permet de voir clairement des choses que notre œil ne perçoit pas et que nous ne faisons que deviner en raison de la rapidité du mouvement.

Une vitesse d'obturation de 1/250 s est nécessaire pour figer l'action dans ce cliché de saltimbanques en Inde. Elle permet aussi de prendre la photo exactement au moment où la trajectoire de la petite fille atteint son zénith et qu'elle paraît immobile.

Pour photographier des sujets en mouvement, il est d'usage d'activer le mode Priorité à la vitesse (pages 34-35). Cela permet de sélectionner la vitesse d'obturation nécessaire pour figer l'action, tout en étant assuré d'obtenir une exposition correcte car l'appareil règle l'ouverture de diaphragme adaptée.

La vitesse d'obturation nécessaire pour figer une action n'est pas uniquement dictée par la vitesse de déplacement du sujet. Deux autres facteurs interviennent aussi. Le premier est la combinaison de la distance du sujet et de la longueur focale réelle de l'objectif ou, plus simplement, la partie occupée par le sujet en mouvement dans le viseur. Plus le grossissement est important, plus la vitesse d'obturation devra être rapide pour figer le mouvement. Le second facteur est la direction du mouvement par rapport à l'appareil. En général, les objets qui s'approchent ou s'éloignent dans l'axe de l'appareil ne nécessitent pas une vitesse d'obturation aussi rapide que celle requise pour figer le déplacement d'un sujet qui passe devant l'objectif. Pour un même sujet allant à une vitesse constante, la vitesse d'obturation doit être quatre fois plus rapide pour les objets traversant le champ de vision.

↑ Quand le sujet traverse le cadre, la vitesse d'obturation doit être quatre fois plus rapide pour figer le mouvement que pour des sujets qui approchent de l'appareil. Cette photo a été prise à 1/400 s et celle de gauche à 1/1000 s.

← Quand on tente de figer le mouvement, il faut garder à l'esprit que toutes les parties du corps ne vont pas bouger au même rythme ni dans la même direction par rapport à l'appareil photo. Ici, le corps du joueur de tennis est figé, tandis que la balle qui se déplace plus vite est légèrement floue.

Vitesses d'obturation lentes

Même si figer l'action produit une photo propre et nette, cela peut donner l'impression que le sujet est statique et inintéressant.

Alors que figer l'action avec une vitesse d'obturation rapide fonctionne bien pour certains sujets en mouvement (surtout quand le déplacement est assez complexe car cela permet de le décomposer), pour de nombreux sujets, notamment ceux n'ayant pas de parties externes en mouvement, cette méthode ne traduit pas la sensation de vitesse. Une voiture de course photographiée avec une vitesse d'obturation qui stoppe toute impression de mouvement paraît à l'arrêt. Il est donc parfois souhaitable de régler une vitesse d'obturation lente pour flouter délibérément un sujet en mouvement. Cela réintroduit une impression de vitesse et produit un cliché qui traduit une ambiance et une certaine urgence.

Une autre technique qui permet de donner une impression de vitesse tout en conservant le sujet net se nomme le filé. Elle consiste à suivre le sujet dans le viseur, puis à appuyer sur le déclencheur pour capturer l'image pendant le suivi du sujet, au moment où il passe devant l'objectif. Le but est de figer le sujet tout en floutant l'arrière-plan grâce au mouvement de suivi de l'appareil. Une vitesse d'obturation intermédiaire convient bien au filé. Si elle est trop rapide, l'arrière-plan est figé. Si elle est trop lente, le sujet est flou. La vitesse d'obturation correcte varie en fonction de la vitesse du sujet et de la distance qui sépare l'appareil photo de l'arrière-plan.

Le filé est souvent plus réussi avec un téléobjectif qui contribue à flouter le fond. Le flou de mouvement fonctionne aussi avec des objets qui se déplacent lentement, comme des gens qui marchent. La réussite des photos dépend de la manière dont les couleurs et les tons sont délavés et interagissent. Cette technique a été exploitée pendant les années 1950 par Ernst Haas dans sa série de photos sur le rodéo et la tauromachie. Elle implique une certaine part d'expérimentation pour le flou délibéré des scènes. Mais ce n'est pas cher payé pour parvenir au mouvement juste de l'appareil au moment précis de la pression sur le déclencheur. On obtient des résultats inattendus et plaisants.

Pour ce filé, la voiture de course a été suivie minutieusement et la vitesse d'obturation de 1/30 s crée un flou de mouvement intense du circuit et des tribunes.

Cette photo a été prise avec un long téléobjectif (400 mm) et une vitesse d'obturation de 1/2 s. Il en résulte un flou de bougé pour une grande partie de l'image, mais suffisamment de détails sont assez nets pour que l'on puisse distinguer les deux personnes présentes.

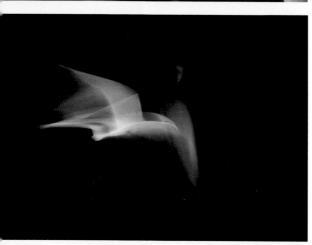

Ce cliché d'une mouette en vol sur un arrière-plan sombre, photographiée avec un objectif de 400 mm et une vitesse d'obturation de 1 seconde, révèle le mouvement des ailes par un motif tout juste reconnaissable.

2.11

Profondeur de champ

L'ouverture de diaphragme ne se contente pas de réguler la quantité de lumière qui atteint le capteur. Elle détermine aussi la part de netteté et de flou de la photo.

La profondeur de champ, qui désigne la partie nette de l'image, compte parmi les outils d'expression créative des photographes. La taille du capteur et le vaste champ de vision de l'objectif des appareils photo compacts font que la majorité des clichés sont nets, du premier plan à l'arrière-plan. C'est le but recherché par la majorité des gens qui veulent garder des souvenirs de vacances et immortaliser des événements familiaux. Si l'on pousse un peu plus loin son intérêt pour la photographie, on apprend vite à apprécier l'importance du contrôle de la profondeur de champ.

Dans les pages suivantes, nous examinerons différentes exploitations créatives de la profondeur

de champ. Mais commençons par découvrir les trois facteurs qui la régissent.

Le premier facteur déterminant la profondeur de champ est l'ouverture du diaphragme. Une grande ouverture (valeur basse) produit une faible profondeur de champ. Inversement, une petite ouverture (valeur élevée) produit une grande profondeur de champ. Le mode Priorité à l'ouverture permet d'influer directement sur la profondeur de champ via le réglage de l'ouverture du diaphragme (l'appareil se chargeant de la vitesse d'obturation).

Le second facteur est la focale. Plus la focale est courte, plus la profondeur de champ est grande. Un long téléobjectif a donc une très faible profondeur de champ. Le dernier facteur est la distance de mise au point. Plus le sujet est proche de l'objectif, plus la profondeur de champ est faible.

f/1.8

f/6.3

f/22

↑ La petite ouverture de diaphragme assure une grande netteté globale, de l'homme au premier plan jusqu'au lointain arrière-plan, dans cette photo prise au grand-angle.

← Dans cette photo, l'utilisation d'un téléobjectif en faisant la mise au point sur les enfants a rendu le premier plan et l'arrière-plan flous. Le regard se dirige immédiatement vers le sujet de la photo.

← Ces trois photos illustrent l'augmentation de la profondeur de champ en fonction de la réduction de l'ouverture du diaphragme. Le contrôle de la profondeur de champ concentre le regard de l'observateur sur le sujet, qui est net.

Profondeur de champ étendue

Une grande profondeur de champ, par laquelle tout est net, du premier plan à l'arrière-plan, est souvent nécessaire en photographie de paysage.

Différentes stratégies permettent d'assurer une grande profondeur de champ, la plus fréquemment employée est le choix d'une ouverture de diaphragme aussi petite que possible. Le mode Priorité à l'ouverture permet de sélectionner une petite ouverture (nombre élevé) en laissant l'appareil régler automatiquement la vitesse d'obturation pour assurer une exposition correcte. Cette stratégie est liée à l'éclairage ambiant. Lorsqu'il est faible, une petite ouverture impose

une vitesse trop lente pour tenir l'appareil à la main sans risque de bougé. Il est alors nécessaire d'utiliser un trépied et une télécommande pour assurer la stabilité de l'appareil. Une autre solution consiste à augmenter la sensibilité (valeur ISO). Grâce aux progrès réalisés dans la conception des capteurs et à la sophistication des algorithmes de traitement, les reflex numériques gèrent bien mieux le bruit. Sur certains modèles, il est possible de pousser la sensibilité à 400, voire 800 ISO, tout en obtenant une photo quasiment dépourvue de bruit (cela dépend aussi du contenu de l'image et de la taille de la vue). Quoi qu'il en soit, augmenter la sensibilité permet de réduire davantage l'ouverture, tout comme les différentes options de

stabilisation d'image disponibles sur la plupart des reflex numériques qui permettent de choisir des vitesses plus lentes.

La plupart des reflex numériques permettent de vérifier la profondeur de champ avant la prise de vue. La touche de contrôle de la profondeur de champ, généralement située à la base de l'objectif, ferme le diaphragme d'après la valeur choisie pour montrer la partie nette de la scène. L'inconvénient de cette méthode de contrôle est que plus le diaphragme est petit, plus l'image visible dans le viseur est sombre. À *f*/22, par exemple, l'image est trop sombre pour être exploitable.

Utilisez plutôt la visée par l'écran (si votre appareil le permet) pour vérifier la profondeur de champ. La plupart des appareils augmentent la luminosité de l'écran LCD pour compenser une petite ouverture de diaphragme et faciliter l'évaluation de la profondeur de champ de la scène.

← L'impression produite par cette photo d'un cimetière militaire réside dans la grande profondeur de champ qui accentue le sentiment d'infinité des pierres tombales. L'effet a été obtenu avec une petite ouverture associée à une focale courte.

Mode A-DEP

La molette des modes de certains appareils Canon propose un réglage A-DEP. Quand le déclencheur est enfoncé à mi-course, l'appareil tente de régler une ouverture garantissant la netteté de l'objet couvert par le collimateur. Ce réglage est utile dans tous les types de scène, qu'il s'agisse de clichés comme celui-ci, qui présente un premier plan et un arrière-plan intéressants, ou de groupes de personnes légèrement décalées par rapport à l'appareil. Veillez à ce que tous les sujets voulus soient couverts par un collimateur.

Profondeur de champ étroite

Vouloir délibérément flouter certains éléments d'une scène peut paraître contre-productif, mais c'est une technique créative fréquemment employée.

Une petite profondeur de champ est employée dans divers genres photographiques, mais on l'emploie le plus souvent en photographie de portrait. Divers moyens permettent de réduire la profondeur de champ.

Tout d'abord, réglez une ouverture aussi grande que possible en mode Priorité à l'ouverture. L'ouverture de diaphragme de la plupart des zooms moyens est cantonnée à f/4 ou f/3.5, tandis que celle de nombreux objectifs à focale fixe atteint f/2 ou f/1.8, voire davantage. On parvient alors à une profondeur de champ extrêmement réduite.

Comme pour les petites ouvertures, les conditions d'éclairage ambiant déterminent aussi l'ouverture maximale préconisée. Si la scène est très lumineuse, une grande ouverture risque de surexposer la photo, même avec une vitesse d'obturation maximale et une sensibilité ISO minimale. Si c'est le cas, vous devez soit munir l'objectif d'un filtre gris pour réduire la lumière parvenant jusqu'au capteur, soit recomposer la vue pour éviter une telle luminosité.

Pour les portraits, les photographes professionnels privilégient le téléobjectif moyen, d'environ 100 mm. Plus la focale est longue, plus la profondeur de champ est réduite. Un téléobjectif ou un réglage équivalent aplatit les caractéristiques du visage et permet au photographe de s'approcher optiquement, sans avoir à se tenir juste devant le modèle.

S'approcher du sujet réduit aussi la profondeur de champ. Pour la macro ou les gros plans, une petite profondeur de champ est problématique car il est alors quasiment impossible d'avoir un sujet entièrement net. La solution consiste souvent à photographier le sujet de côté.

Un téléobjectif moyen a été utilisé dans ce cliché coloré. Il permet au photographe de se rapprocher discrètement du sujet, tout en rendant flou l'arrière-plan potentiellement perturbateur.

Une petite profondeur de champ est également utile pour gommer un premier plan indésirable. Ici, le toit d'un bâtiment voisin encadre le sujet, mais la faible profondeur de champ l'empêche de détourner l'attention de l'observateur.

Les écritures religieuses, qui sont le sujet de cette photo, sont nettes et attirent le regard. S'approcher du sujet permet de flouter le reste de l'image.

Ce détail d'un ornement de portail utilise la profondeur de champ pour concentrer l'attention de l'observateur sur une partie de l'image.

Objectifs grand-angle

Conçus pour offrir un champ de vision plus vaste que celui de l'œil humain, les objectifs grand-angle produisent des clichés dynamiques.

Un objectif dont la longueur focale est inférieure ou égale à 35 mm est considéré comme étant un grand-angulaire. Plus la focale est courte, plus l'effet de déformation de l'objectif est amplifié. Initialement, ces objectifs étaient surtout employés en photographie de paysage car ils permettent de capturer une plus grande partie de la scène. Le premier plan joue un rôle important dans la photographie de paysage au grand-angle. Comme l'optique de ces objectifs inclut une grande partie du premier plan de la scène, cette zone de la composition doit contenir un élément qui guide le regard du spectateur dans la photo.

En raison de leur champ de vision plus vaste, les objectifs grand-angle ont aussi tendance à créer des diagonales (réelles et induites), ce qui crée une tension dynamique dans l'image. L'introduction de diagonales accentue la perspective, ce qui ajoute de la profondeur à la photo.

En revanche, il faut éviter les objectifs grand-angle pour photographier des personnes. L'effet de déformation est peu flatteur et les traits sont exagérés. Cela dit, les focales courtes sont fréquemment utilisées par les photojournalistes. Ils exploitent leurs propriétés optiques qui tendent à diriger le regard dans la scène. Le premier plan est très rapproché et l'étirement vers les bords et les coins a pour effet d'envelopper l'image autour du spectateur.

En photographie de paysage, les objectifs grand-angle offrent un vaste champ de vision. Plus la focale est courte, plus le champ de vision est large. Cela crée de grands ciels et des horizons clairement définis. Le premier plan doit contenir des éléments qui attirent l'attention du spectateur et qui le guident dans l'image.

← Même si ce ne sont pas des objectifs dédiés au portrait, les objectifs grand-angle sont utilisés par les photojournalistes pour faire entrer le spectateur dans l'image.

↓ Avec un angle de vision adapté, l'objectif grand-angle produit de longues diagonales, surtout si le premier plan est inclus. Ces diagonales renforcent le dynamisme de l'image et accentuent l'impression de profondeur.

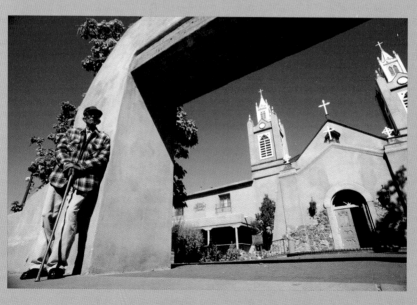

Téléobjectifs

Tandis que les objectifs grand-angle guident le spectateur dans l'image, les téléobjectifs exercent l'effet inverse : ils produisent un effet plus froid et distant.

Un téléobjectif a un champ de vision plus étroit que la vision humaine. Au sens strict, cela englobe tous les objectifs ayant une longueur focale réelle supérieure ou égale à 60 mm. Comme des focales réelles de 800 mm sont assez répandues (grâce à l'effet multiplicateur des capteurs APS-C), la gamme des téléobjectifs est très étendue.

Les téléobjectifs courts (de 80 mm à 120 mm) sont souvent utilisés par les photographes de portrait car ils flattent le sujet et la focale longue offre une profondeur de champ plus petite qu'un objectif standard. Un grand-angle arrondit aussi le sujet.

Les moyens et longs téléobjectifs ont des applications variées. Comme leur but est de réduire la distance qui sépare le photographe de son sujet, les objectifs à longues focales sont fréquemment utilisés en photographie animalière pour se rapprocher autant que possible du sujet (sans l'effrayer ni se faire attaquer). Les photographes sportifs choisissent de longs objectifs pour s'approcher de l'action qui se déroule sur le stade ou sur les circuits, à des endroits où le sujet est parfois très éloigné.

Comme les objectifs grand-angle, les téléobjectifs sont aussi utilisés en photojournalisme, le plus souvent dans l'espoir de capturer un cliché de célébrités très éloignées. Les longs objectifs produisent l'effet inverse d'un grand-angle. Tandis qu'une vue au grand-angle attire le spectateur dans la photo, un long objectif donne une impression de détachement car l'éloignement par rapport au sujet transparaît dans l'atmosphère du cliché. L'optique tend à aplatir les scènes en écrasant la distance entre les objets.

Cet effet est souvent exploité par les photographes de paysage qui utilisent aussi les longs objectifs pour isoler des éléments dans la scène et qui, en resserrant le cadre sur une zone particulière, échappent aux lieux communs de la photographie de paysage.

Cette photographie de grues a été prise avec un téléobjectif 600 mm qui permet d'approcher optiquement très près des oiseaux. La grande longueur focale contribue aussi à flouter l'arrière-plan pour concentrer l'attention sur le sujet de la photo.

↑ Cette photo d'un pêcheur comorien et des enfants qui l'aident à pousser sa barque a été prise avec un objectif 400 mm. Le détachement de la scène ne traduit guère l'impression d'activité débordante qui aurait été apparente dans un cliché pris au grand-angle..

← L'objectif long écrase la perspective de cette route de campagne avec son cycliste solitaire. L'effet d'écrasement exagère la sinuosité de la route.

Objectifs macro

La macrophotographie peut créer des images très spectaculaires. Elle donne accès à un univers souvent trop petit pour être observé à l'œil nu.

Il est important d'établir la distinction entre la véritable macrophotographie et le gros plan. De nombreux objectifs sont présentés comme ayant un réglage macro. Mais au sens strict, ce n'est pas exact. Pour produire de véritables images macro, l'objectif doit avoir un grossissement de 1×. Cela signifie que la scène est capturée en grandeur nature par le capteur, c'est-à-dire avec un rapport de 1:1. La plupart des objectifs de gros plan permettent uniquement d'approcher le sujet de très près, avec un rapport de reproduction d'environ 1:5 (la différence entre macro et gros plan est donc significative).

Pour photographier en macro, le plus simple est d'utiliser un objectif macro. Ces optiques sont conçues pour fournir la meilleure qualité d'image à des courtes distances et une qualité acceptable à des distances normales (jusqu'à l'infini). Les objectifs macro peuvent avoir différentes longueurs focales, mais la majorité sont à focale normale ou longue. L'avantage des objectifs macro à longue focale est que vous pouvez les placer à une distance éloignée du sujet. Cela évite d'effrayer le sujet, qui peut être dérangé par la proximité de l'objectif.

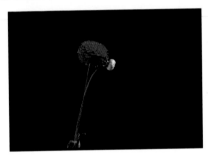

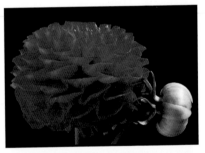

↑ Cette photo a un grossissement de 0,1×, soit un rapport de reproduction de 1:10. N'importe quel objectif normal est capable de faire cette mise au point.

↗ Grossissement de 0,5×, rapport de reproduction de 1:2. Cela dépasse le grossissement de la plupart des objectifs permettant le gros plan.

→ Grossissement de 1×, rapport de reproduction de 1:1. Seul un objectif macro parvient à une reproduction en grandeur nature.

La macrophotographie a toujours constitué un défi pour les photographes. Quand la mise au point est faite en s'approchant beaucoup du sujet, la profondeur de champ est très faible. Le flash éclaire davantage le sujet au moment de la prise de vue, ce qui autorise à fermer davantage le diaphragme pour agrandir la profondeur de champ. Évidemment, le sujet risque d'être effrayé par l'éclair du flash et vous n'aurez pas de seconde chance.

Un trépied réduit le risque de bougé de l'appareil, tout en permettant de faire la mise au point sur un élément précis du sujet. En associant le trépied à une télécommande pour le déclenchement (ou au retardateur de l'appareil), vous n'avez pas besoin d'appuyer sur le déclencheur au moment de la prise de vue, ce qui réduit encore davantage le risque de faire bouger l'appareil.

De nombreux photographes animaliers considèrent qu'un trépied est trop contraignant et qu'il nuit à la spontanéité de la prise de vue (il leur fait rater des clichés quand ils photographient des insectes qui se déplacent rapidement). Pour éviter le trépied, essayez de faire la mise au point manuellement, puis bougez lentement le haut du corps d'avant en arrière.

La loi de Scheimpflug

Pour aller plus loin en macrophotographie, investissez dans des objectifs à soufflet ou à bascule et à décentrement. La bascule de l'objectif incline le plan de netteté (qui, normalement, est perpendiculaire). Le plan du sujet et le plan de l'objectif se coupent alors en un point, et si la mise au point est faite de sorte que le plan de l'image passe aussi par ce même point, alors tout le plan du sujet est parfaitement net.

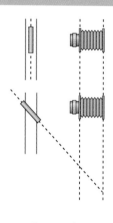

La zone de netteté se trouve entre les lignes rouges

Une partie du sujet est nette

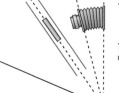

Tout le sujet est net

Tous les plans se croisent en un point

Format Raw

Tous les reflex numériques prennent en charge le format Raw, terme générique désignant un format de fichier contenant des données brutes. Plusieurs arguments plaident en sa faveur.

Aujourd'hui, la plupart des reflex numériques prennent en charge deux formats de fichier, Raw et JPEG, même si quelques marques proposent aussi le format TIFF. Nous examinerons ces formats en détail dans la partie technique, mais il est important de souligner ici les avantages de la photographie au format Raw.

Les appareils numériques intègrent des processeurs qui modifient les données de l'image lorsqu'elles sont transmises par le capteur et enregistrées dans un fichier JPEG. Des corrections sont appliquées à la saturation des couleurs, au contraste et à la netteté. L'appareil vous autorise à définir l'intensité des corrections en fonction de vos préférences personnelles, le but étant de produire un fichier d'image prêt à être visionné. Dans l'idéal, les couleurs

sont vives, le contraste est tranché et l'image est bien nette. Une légère réduction du bruit peut aussi être appliquée si cette option a été sélectionnée.

Le traitement des données dans l'appareil présente toutefois des inconvénients. Le premier est la compression des données JPEG. Même si cette opération permet d'économiser de la capacité de mémoire, elle entraîne une perte de données. Vous n'en saurez rien si les données restantes produisent une image satisfaisante. Mais si un post-traitement est nécessaire, moins de données seront disponibles. Les corrections de la luminosité ou du contraste risquent alors de faire apparaître des artefacts disgracieux. En revanche, les données Raw ne subissent aucun traitement. Vous disposez de toutes les données enregistrées par le capteur au moment de la prise de vue, c'est-à-dire les données brutes.

Un autre défaut du format JPEG est le manque de précision du niveau d'ajustement. Le réglage de la

Ce détail non traité présente les zones sombres d'un cliché sous-exposé. L'image a été prise aux formats Raw et JPEG. Le fichier Raw a été ouvert dans le convertisseur Raw d'Adobe (ACR) et sa luminosité a été augmentée. Malgré le niveau extrême de la correction, la qualité du fichier Raw est acceptable, même si on remarque du bruit et d'autres artefacts. En revanche, certaines zones du fichier JPEG montrent beaucoup de bruit, d'autres zones sont postérisées, et la qualité de l'image est globalement mauvaise.

netteté, par exemple, est souvent effectué dans l'appareil avec des niveaux limités (aucun, moyen, fort), sans stades intermédiaires. L'ajustement du contraste ou des tons concerne uniquement les 8 bits par couche d'une image JPEG. Les fichiers Raw ont jusqu'à 12 ou 14 bits d'informations, qui se traduisent par davantage de détails fins dans les nuances tonales. On peut récupérer des détails dans les ombres et dans les hautes lumières au moment du post-traitement d'un fichier Raw, alors que ces détails ont disparu dans le fichier JPEG.

Enfin, en mode Raw, l'appareil n'applique pas de réglages de la balance des blancs ou de l'espace chromatique (pages 62-65). L'ajustement s'effectue après la prise de vue, en postproduction (cette méthode nous a permis de créer les photos présentés aux pages 64-65).

En résumé, comme un fichier Raw n'a subi aucun traitement et qu'il contient davantage de données, la qualité d'image est censée être meilleure après son passage en postproduction. Elle l'est sans aucun doute quand des ajustements profonds sont nécessaires.

Parmi les inconvénients, il y a le fait que les images doivent être traitées avant même qu'il soit possible de juger leur qualité. Il faut donc un ordinateur et un logiciel de retouche d'image (et du temps). Les fichiers Raw occupent plus d'espace sur la carte mémoire et leur enregistrement est plus lent, ce qui ralentit la cadence de prise de vue en mode continu. Enfin, tous les logiciels ne sont pas capables de lire les derniers formats Raw des appareils récents.

Pour conclure, choisissez le format JPEG si vous voulez simplement prendre des photos de famille et les regarder dès leur sortie de l'appareil. Mais lorsque vous voulez tirer le maximum d'un fichier d'image et que vous êtes prêt à y consacrer du temps, alors vous obtiendrez de bien meilleurs résultats en mode Raw, surtout dans des conditions d'éclairage difficiles.

Raw

JPEG

Plage dynamique

Toutes les scènes ont une plage dynamique. Il s'agit de la différence entre les zones les plus lumineuses et les plus sombres d'une scène. Les scènes ayant une plage dynamique étendue nécessitent quelques précautions.

Le capteur imageur a sa propre plage dynamique qui correspond à sa capacité à révéler des détails dans les ombres et dans les hautes lumières d'une scène donnée. Il est crucial de bien comprendre les implications de la plage dynamique en photographie numérique. Malgré tous ses défauts, la pellicule s'en sort mieux face aux scènes présentant une plage dynamique étendue (c'est davantage vrai pour les films négatifs que pour les diapositives). Cela ne signifie pas que la pellicule a une plus vaste plage dynamique inhérente, mais sa réaction à la lumière diminue progressivement aux deux extrémités de la plage. En revanche, la réaction d'un capteur numérique est plus abrupte. Vous aurez beaucoup de mal à récupérer des informations dans les zones de hautes lumières brûlées par une surexposition. Il en va de même pour les ombres bouchées à l'extrémité opposée de l'échelle.

La plupart des reflex numériques ont une plage dynamique comprise entre 8 et 9 stops. À quoi cela correspond-il ? En vous familiarisant avec la plage dynamique de scènes ordinaires, vous pouvez, d'une part, déterminer si le capteur de votre appareil peut ou non produire un résultat exploitable à partir de la plage dynamique de la scène, et d'autre part, s'il n'en est pas capable, vous pouvez envisager des solutions. Vous pouvez voir ici des exemples de plages dynamiques mesurées en stops.

Quelles stratégies peuvent être adoptées face à une scène dont la plage dynamique dépasse celle du capteur ?

La première possibilité est de modifier le cadrage pour réduire la plage dynamique. Cela peut impliquer de zoomer pour exclure le soleil ou une zone lumineuse du ciel. Si ce n'est pas possible, vous devez choisir la zone privilégiée par la mesure de l'exposition (les hautes lumières ou les ombres). Tout dépend de la composition. En général, les taches de hautes lumières, comme celles qui sont produites par les reflets sur l'eau (hautes lumières spéculaires) contiennent rarement des détails importants. Les brûler ne nuira pas à la qualité de l'image, tout comme boucher les ombres les plus sombres.

Une solution de plus en plus employée consiste à prendre plusieurs clichés avec des expositions décalées qui couvrent toute la plage dynamique, puis à créer une image HDR (*High Dynamic Range*) au post-traitement. Comme il n'y a pas deux scènes identiques, seule l'expérience vous dictera comment aller du noir pur au blanc pur.

11 stops

6 stops

6 stops

11 stops

6 stops

5 stops

8 stops

6 stops

Les exemples illustrés ici présentent les écarts (en stops) entre différentes zones d'une image. Dans les photos ayant une plage étendue, comme la scène de bord de mer, une extrémité de la plage des tons doit être sacrifiée. Le choix est évident si l'on veut conserver les détails des cailloux. De même, la vue nocturne pose problème, mais des plages de 5 ou 6 stops permettent de préserver des détails dans l'image.

Exposer à droite

Depuis quelque temps, de nombreux articles ont été publiés sur le Web et dans les magazines pour vanter les mérites de l'exposition à droite. Qu'est-ce que cela signifie ?

L'expression « exposer à droite » (de l'anglais, expose to the right) fait référence à la forme de l'histogramme. Comme nous l'avons vu précédemment, l'histogramme est une représentation graphique des tons présents dans l'image, les tons foncés se trouvant à gauche et les tons clairs à droite. Exposer à droite consiste donc à rendre un maximum de pixels aussi clairs ou lumineux que possible. Mais pourquoi l'histogramme devrait-il montrer beaucoup de pixels clairs ? Ne nous efforçons-nous pas d'éviter de brûler les hautes lumières ? Ne serait-il pas plus prudent d'exposer à gauche, c'est-à-dire de sous-exposer ? Même si ça l'est, une exposition à droite (à condition de prendre des précautions pour éviter que les hautes lumières ne soient écrêtées sur le côté droit de l'histogramme), voire une légère surexposition, améliore le rapport signal-bruit dans les ombres. Le bruit est alors moins apparent dans les ombres après le post-traitement de l'image sur l'ordinateur.

Exposer à droite produit de bons résultats avec des images qui présentent beaucoup d'ombres ou de tons moyens foncés, mais uniquement si vous avez l'intention de les retoucher. Profitez aussi des avantages du format Raw car des fichiers en 12 bits, voire 14 bits, contiennent davantage d'informations de couleurs. Ouvrez le fichier Raw dans son convertisseur et ajustez les niveaux de luminosité de façon à répartir plus uniformément les tons dans l'histogramme avant d'ouvrir le fichier dans un logiciel de retouche d'image. L'image paraît moins surexposée, sans présenter pour autant du bruit dans les ombres.

Cette série de clichés accompagnés de leur histogramme démontre qu'exposer à droite, quand on évite d'écrêter les hautes lumières, aboutit à un meilleur rapport signal-bruit dans les ombres.

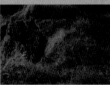

Ce cliché a une bonne répartition des tons malgré une grande zone d'ombre au premier plan. L'éclaircissement de cette zone au post-traitement a fait apparaître du bruit et fait virer les couleurs.

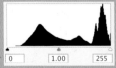

Pour ce même cliché, l'image a été légèrement surexposée délibérément, tout en préservant les hautes lumières. Quand les tons de l'image sont rééquilibrés au post-traitement, beaucoup moins de bruit est introduit dans la zone d'ombre au premier plan et les couleurs sont rendues de manière plus fidèle.

Imagerie HDR

La popularité de l'imagerie HDR (*High Dynamic Range*, plage dynamique étendue) n'a cessé de croître ces dernières années. C'est une méthode informatique pour produire une image dont la plage dynamique est plus étendue que celle du capteur.

La méthode traditionnelle pour créer une image HDR consiste à combiner une séquence de clichés pris à différentes expositions, généralement avec des écarts de 2 stops environ. Les scènes très animées en sont évidemment exclues car le résultat final serait flou dans les zones présentant du mouvement. Pour les scènes statiques, les meilleurs résultats sont obtenus en mode Raw avec un trépied. Il est possible de tenir l'appareil à la main et de produire la fourchette d'expositions en mode de prise de vue continue. Le logiciel éliminera les légers écarts d'alignement au post-traitement.

Les clichés sont ensuite combinés dans un logiciel de retouche d'image, comme Photoshop ou Photomatix Pro. On obtient une seule image HDR en 32 bits par couche. Comme aucun écran d'ordinateur ni aucune imprimante ne sont capables de restituer un tel niveau d'informations, le fichier doit être compressé sur 16 ou 8 bits. Le procédé employé se nomme le « tone mapping ». Des algorithmes sophistiqués appliquent le contraste et la luminosité adaptés aux différentes parties de la scène. On obtient une image dont les hautes lumières potentiellement brûlées et les ombres bouchées sont prélevées dans les expositions appropriées et fusionnées pour produire une seule image où toute la plage de tons est présente.

De ce point de vue, le HDR est un moyen d'accroître artificiellement la plage dynamique du capteur. Mais la fonction de tone mapping des programmes est de plus en plus employée pour créer des images de type HDR à partir d'une seule vue (nous y reviendrons).

Si vous créez une séquence d'images contenant un léger mouvement, le logiciel utilisera une seule photo pour la zone concernée pour éviter un effet d'écho (flou provoqué par le décalage des éléments dans les vues). Ce portrait de l'artiste chinois Yue Minjun a recours à cette technique.

↑ Cette scène, qui se situe dans la cour de la Royal Academy, à Londres, a une plage dynamique moyenne, plutôt qu'étendue. La technique HDR fait apparaître des détails dans la façade lumineuse tout en conservant les ombres de la statue.

← Les intérieurs recèlent souvent une plage dynamique plus étendue que celle du capteur, notamment en présence de fenêtres ou de lumières vives. Cette église ne fait pas exception avec sa plage dynamique de 15 stops. La technique HDR permet d'en capturer tous les tons.

HDR avec un seul cliché

Lorsqu'ils sont appliqués avec discernement, les réglages de tone mapping de Photomatix permettent de créer des images de type HDR très subtiles.

La technique HDR décrite précédemment nécessite une séquence d'expositions pour pouvoir capter toute la plage des tons présents dans une scène. Le logiciel HDR peut aussi être utilisé avec une seule photo pour améliorer les tons capturés.

En raison de sa nature, le HDR est limité aux scènes statiques. Même si l'écho peut être corrigé jusqu'à un certain point, les résultats ne sont pas bons avec des images contenant beaucoup d'objets animés. Cela exclut beaucoup de sujets potentiels.

En mode Raw, les fichiers 12 ou 14 bits profitent de la plage dynamique potentielle de l'appareil. Même si un cliché ne suffit pas à saisir tous les tons quand la plage dynamique de la scène dépasse 8 à 9 stops, un seul fichier Raw peut capturer une plage dynamique assez étendue avec une exposition correcte (exposer à droite sans écrêter les hautes lumières, par exemple). Comme une seule photo est prise, on peut se passer de trépied et les scènes d'action ne sont pas bannies. Une fois le fichier Raw enregistré, vous avez le choix entre deux options. La première consiste à recréer une série d'expositions dans un convertisseur Raw, comme le module ACR de Photoshop, pour échelonner artificiellement l'exposition. Enregistrez les fichiers au format TIFF 16 bits pour conserver le maximum de données. Ensuite, fusionnez ces fichiers dans un logiciel HDR, comme expliqué aux pages 92-93. Le résultat n'est pas aussi bon qu'avec la fusion de trois fichiers Raw à l'exposition incrémentielle, mais vous récupérerez davantage d'informations tonales que par le post-traitement d'un seul fichier Raw.

La seconde possibilité consiste à traiter un seul fichier Raw dans un logiciel comme Photomatix Pro. Photomatix extrait tous les tons du fichier Raw, puis vous propose un vaste éventail de réglages qui transforment la vue réaliste de la scène en une image qui n'est pas sans rappeler une œuvre photoréaliste.

↑ Dans la version non retouchée de cette image, éviter la surexposition du ciel a tant assombri les zones d'ombres que la silhouette est à peine visible. Le traitement du fichier Raw dans Photomatix en appliquant de légères corrections par tone mapping a débouché les ombres sans brûler les hautes lumières.

← Si l'humeur vous en dit, vous pouvez appliquer un tone mapping beaucoup moins subtil pour créer un effet de peinture. Retenez toutefois qu'on se lasse vite des effets exagérés.

Vidéo

Comme la visée par l'écran, l'enregistrement de vidéos a longtemps été réservé aux appareils photo compacts. Depuis une période récente, de plus en plus de reflex numériques permettent de filmer des vidéos.

Les premiers reflex numériques capables de filmer des vidéos sont le Nikon D90 et le Canon EOS 5D Mk II. La possibilité de filmer des vidéos haute définition a fait couler beaucoup d'encre dans la presse spécialisée en photographie mais aussi en vidéo. Pourquoi ? Parce que cela signifiait qu'un potentiel créatif immense qui, pendant des années, a été réservé à la création d'images fixes, comme les vues grand-angle, macro ou super zoom, la faible profondeur de champ, le contrôle d'exposition

Le mode Vidéo est généralement accessible depuis le menu Vidéo par l'écran. Une option permet d'enregistrer uniquement des vidéos ou de prendre aussi des photos. Vous pouvez également choisir le format d'enregistrement (1 920 × 1 080 en haute définition).

ou encore la mise au point sélective, allait désormais être mis au service de la réalisation d'images animées haute définition (HD), le tout pour un coût nettement inférieur à celui des caméscopes HD avec tous leurs équipements et accessoires. Une recherche rapide sur Internet suffira à vous convaincre qu'il est possible d'obtenir d'excellents résultats. Mais ne croyez pas qu'un reflex numérique capable de filmer des vidéos remplacera votre caméscope. Il ne le fera pas pour différentes raisons.

La première est la mise au point. Du fait de leur conception, de nombreux reflex numériques ne proposent pas l'autofocus en mode vidéo, et quand ils le font, la mise au point est lente et nécessite de nombreux allers-retours (en cours d'enregistrement).

Donc contrairement au caméscope, qui fait rapidement la mise au point pendant l'enregistrement, avec le reflex, il faut d'abord faire la mise au point et s'y tenir pendant l'enregistrement de la séquence. Vous pouvez vous amuser à tester la mise au point sélective manuelle en commençant par une mise au point correcte, puis en floutant délibérément la vue ou en faisant alternativement la mise au point sur un sujet puis sur un autre. On se lasse vite de ces techniques cinématographiques qui ne sont pas toujours adaptées aux films de vacances. Le zoom est indissociable de la mise au point. Il n'est pas possible de zoomer lentement avec le zoom du reflex. L'appareil tremble trop pour un visionnage agréable de la séquence et le zoom paraît saccadé.

Ces problèmes de mise au point et de zoom nous mènent à un autre problème lié à l'utilisation d'un reflex en tant que caméscope : l'ergonomie. Les reflex n'ont pas été conçus pour être tenus à bout de bras et certainement pas pendant une durée prolongée si vous voulez éviter que l'appareil ne tremble. Il est préférable de fixer l'appareil sur un trépied pour plus de stabilité. Pour suivre l'action, vous devrez investir dans une dolly ou en fabriquer une.

La technique par laquelle la mise au point passe lentement d'un objet à un autre est facile à réaliser avec un reflex numérique en mode Vidéo.

Filmer des vidéos

Un autre facteur dont il faut tenir compte est le niveau de contrôle qui peut être exercé sur les réglages du diaphragme, de la sensibilité et de la vitesse d'obturation. Sur certains reflex numériques, il est possible d'effectuer tous ces réglages manuellement (en réglant la molette de commande sur Manuel avant d'activer la visée par l'écran), ce qui permet de régler une sensibilité ISO et une vitesse basses pour filmer avec une grande ouverture. On obtient un plan de netteté de faible profondeur, comme on en voit souvent dans les films, même avec un bon éclairage (pensez au filtre neutre pour réduire la quantité de lumière atteignant le capteur). En mode manuel, vous pouvez corriger la sensibilité, la vitesse et le diaphragme pendant l'enregistrement pour ajuster l'exposition en consultant l'écran LCD et vérifier que l'image n'est

ni trop claire ni trop sombre. Assurez-vous au préalable que la luminosité de l'écran ne s'ajuste pas automatiquement car l'image affichée serait alors trompeuse. Un inconvénient du réglage du diaphragme est qu'il est bruyant.

Le mode manuel offre davantage de liberté créative en permettant de modifier la profondeur de champ et d'ajuster les réglages de l'exposition pendant l'enregistrement d'une séquence. Cependant, de nombreux reflex permettent uniquement de filmer en automatique, c'est-à-dire avec le réglage automatique de la sensibilité, de la vitesse d'obturation ou de l'ouverture. Même si cela peut paraître utile, il en résulte quelques désagréments en pratique car l'appareil réduit automatiquement l'ouverture quand la scène est lumineuse, ce qui augmente la

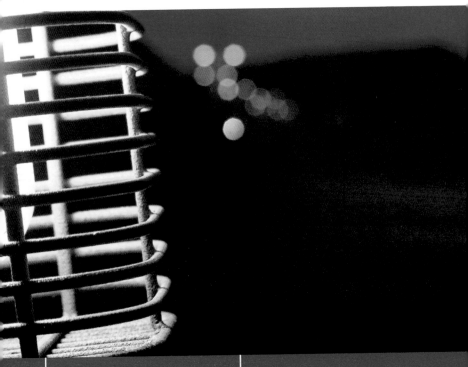

profondeur de champ. En mode auto, vous risquez de constater qu'une faible profondeur de champ peut uniquement être obtenue par faible éclairage et que l'appareil photo l'augmente en fermant le diaphragme dès que la scène s'éclaircit. Autre inconvénient : quand vous filmez par faible éclairage ambiant, en intérieur par exemple, au lieu de ralentir la vitesse, l'appareil augmente automatiquement la sensibilité, ce qui produit du bruit.

La plupart des reflex permettent de filmer des vidéos et de photographier en même temps. En général, il suffit d'appuyer sur le déclencheur pour prendre un cliché. L'image est enregistrée sur la carte mémoire dans un fichier distinct. Quelques désavantages mis à part, il est parfaitement possible d'obtenir des résultats très professionnels en filmant des vidéos avec un reflex. Comme il est possible de monter n'importe quel objectif compatible, on peut filmer aussi bien en macro qu'en téléobjectif en passant par le grand-angle, et en bénéficiant toujours de la haute définition. Vous vous débrouillerez toujours pour contrôler un minimum la profondeur de champ. Sur les reflex qui filment en mode manuel, obtenir la faible profondeur de champ recherchée par les cinéastes est relativement aisé.

Souvenez-vous que filmer des vidéos avec un reflex n'est pas aussi facile qu'avec un appareil compact. Ce n'est certainement pas la panacée pour filmer les vacances familiales. Vous devez vous mettre dans la peau d'un cinéaste pour parvenir à des résultats satisfaisants.

←↑ Filmer des séquences riches en atmosphère avec une petite profondeur de champ est un véritable plaisir avec un reflex numérique. Prévoyez une phase d'apprentissage assez longue car on ne devient pas cinéaste du jour au lendemain.

↑ Prendre des photos tout en filmant peut être pratique en diverses occasions, notamment pour les photographes de mariage et les photojournalistes, qui ont souvent besoin à la fois d'images fixes et de séquences vidéo.

Flash

Les photos réalisées avec un flash sont souvent décevantes. En utilisant les bons outils adaptés à différents types de situation, vous allez vous réconcilier avec le flash.

On considère souvent le flash comme un moyen de fournir une source d'éclairage immédiate quand la scène est trop sombre pour la prise de vue. Dans la plupart des modes Scène, ainsi qu'en mode Tout automatique, le flash intégré se déclenche à faible éclairage ambiant. Même si le flash fournit

Ce reflex Pentax est muni d'un flash amovible avec une tête orientable. L'angle maximum de pivotement et de rotation varie en fonction des modèles. Plus le flash est polyvalent, plus il y a de possibilités de réflexion.

suffisamment de lumière pour prendre la photo, le résultat est loin d'être satisfaisant.

Se pose aussi l'éternel problème des yeux rouges. La cause n'est pas tant la qualité de la lumière que la direction dans laquelle elle est projetée. Un flash intégré peut uniquement projeter la lumière vers l'avant, directement sur le sujet. Il en résulte des ombres fortes, trop présentes derrière le sujet et souvent à l'origine de l'apparente dureté. L'éclairage direct crée aussi des hautes lumières disgracieuses sur le visage du sujet, généralement dans la région du nez et du front, qui renforcent encore la dureté de l'image. Comme les yeux rouges, elles sont causées par la proximité du flash avec l'objectif. La lumière est envoyée directement dans les yeux du sujet en suivant plus ou moins la même trajectoire que l'objectif. Comme l'éclairage ambiant est faible, la pupille du sujet est grande ouverte (pour laisser entrer un maximum de lumière). Quand le flash est déclenché, les yeux n'ont pas le temps de s'ajuster et les vaisseaux sanguins du fond de l'œil réfléchissent la lumière. Cela peut être légèrement atténué par un prééclair qui provoque le rétrécissement de la lentille, mais ce procédé n'est pas fiable. Réduire la puissance du flash *via* le réglage de la correction d'exposition au flash réduit les ombres et les hautes lumières, mais cela ne fait qu'atténuer l'effet et ne résout pas le problème.

Si vous utilisez le flash régulièrement, la meilleure solution est d'investir dans un modèle externe muni d'une tête orientable qui permet de corriger la direction du flash. Lorsque vous dirigez le flash vers le plafond ou vers un mur (blanc de préférence pour éviter d'ajouter une dominante colorée), la lumière est réfléchie par la surface et dispersée vers le sujet. Il en résulte une lumière bien plus douce et diffuse qui produit un cliché à l'apparence beaucoup plus naturelle.

Cette technique ne réduit pas la puissance du flash. La lumière est non seulement diffusée, mais elle doit aussi parcourir une distance plus longue. Cela suppose également la présence d'un mur ou d'un plafond sur lequel réfléchir le flash.

Flash intégré

Avec un flash intégré,
l'exposition est gérée
automatiquement, mais la
direction de l'éclair crée des
ombres marquées et des hautes
lumières peu flatteuses.

Flash réfléchi

Quand la lumière du flash est
réfléchie au plafond, le portrait
ne présente plus les défauts
d'une photo prise au flash. Les
ombres dures sont gommées,
tout comme les hautes lumières.

Flash d'appoint

Même si le flash est généralement associé aux prises de vue nocturnes ou à faible éclairage ambiant, la lumière du jour a parfois besoin d'être complétée.

On parle de flash fill-in ou de fill flash quand le flash est utilisé en éclairage d'appoint pendant la journée. Cela permet d'améliorer une photo par bien des aspects.

L'un des usages les plus fréquents du flash d'appoint a pour but de renforcer la luminosité dans les ombres. Pour les portraits en extérieur, par exemple, le sujet peut se trouver légèrement à contre-jour et son visage est alors trop sombre. Il faut choisir de mesurer l'exposition par rapport au visage, auquel cas l'arrière-plan est brûlé, ou par rapport au ciel, et dans ce cas le visage est sous-exposé. La solution consiste à faire intervenir le flash intégré qui est toujours à portée de main. En éclairant davantage le visage, vous rééquilibrez l'éclairage en réduisant le contraste. Vous pouvez alors mesurer l'exposition par rapport au ciel, sachant que le flash débouchera les ombres.

Dans la première image, une partie du visage de la mariée est légèrement dans l'ombre car l'éclairage est légèrement désaxé. Un léger coup de pouce du flash (à droite) éclaircit le visage et égaye l'image. Notez aussi les étincelles dans les yeux du couple qui sont les reflets de l'éclair du flash.

En plus d'utiliser le flash en cas de contre-jour, les photographes événementiels et de mariage y ont aussi recours pour les sujets éclairés latéralement ou de face. Ces types d'éclairage font apparaître des ombres autour des orbites, ainsi que sous le nez et le menton. Le flash contribue à éliminer ces défauts.

Le flash d'appoint sert aussi par temps couvert car l'éclairage est doux et peu contrasté. Les couleurs sont alors assez ternes. Même si ce type d'éclairage convient à certains sujets, vous pouvez vous permettre d'ajouter un petit rayon de soleil lorsque le sujet est petit et que vous pouvez vous en approcher suffisamment. Le flash d'appoint renforce le contraste et donne de la couleur à la photo. L'éclair doit être assez subtil pour ne pas écraser l'éclairage ambiant, mais suffisamment puissant pour pimenter l'image. Cela vaut plus particulièrement pour les portraits quand le sujet porte des vêtements de couleurs vives car la composition est plus forte.

Quand le ciel est nuageux, les couleurs des photos paraissent mornes et fades. L'utilisation du flash (à droite) a permis d'ajouter une touche de couleur et d'éclaircir cette scène champêtre.

Synchro lente

Dans les portraits nocturnes au flash, le sujet en extérieur paraît souvent isolé dans l'obscurité la plus complète.

Cette apparente isolation s'explique par le fait que le flash, bien que suffisamment puissant pour éclairer un sujet proche, ne l'est pas assez pour éclairer l'arrière-plan plus éloigné. De plus, cet effet est amplifié par la loi de l'inverse du carré de la distance qui stipule que la luminosité d'un éclairage illuminant une surface n'est pas proportionnelle à la distance qui sépare la source lumineuse du sujet, mais à cette distance multipliée par elle-même. En d'autres termes, la lumière perd rapidement beaucoup d'intensité sur une petite distance. Un sujet qui se trouve à deux mètres du flash recevra seulement un quart de la lumière comparé au sujet qui en est distant d'un mètre. Vous pouvez profiter de cet effet pour cacher un arrière-plan potentiellement dérangeant en éloignant suffisamment le sujet de l'arrière-plan. Mais si ce n'est pas l'effet recherché, vous devez recourir à une autre stratégie.

Ce portrait pris dans une aire de jeu en intérieur illustre bien l'effet de la loi de l'inverse du carré de la distance. Même si l'enfant est parfaitement exposé, les cordages les plus proches de l'appareil sont surexposés, tandis que l'extrémité du pont est dans l'obscurité complète.

La synchro(nisation) lente du flash est généralement employée pour les portraits nocturnes, quand l'arrière-plan doit être exposé de la même manière que le sujet. L'appareil étant réglé sur Priorité à l'ouverture et le flash étant prêt, composez le cliché et appuyez sur le déclencheur. L'éclair est émis et éclaire le sujet mais l'exposition continue pour impressionner aussi l'arrière-plan. Quand vous utilisez le flash en synchro lente, fixez l'appareil sur un trépied sinon l'arrière-plan sera flou à cause de la vitesse d'obturation lente et du bougé de l'appareil tenu à la main. Le sujet doit se tenir aussi immobile que possible pendant toute la durée de l'exposition, sinon il risque d'être flou dans l'image finale.

1/125 s à *f*/6.7

1/6 s à *f*/5.6

Pour que le jardin soit visible à travers la fenêtre dans cette photo prise en intérieur, il a fallu monter l'appareil sur un trépied et régler une longue exposition en prévoyant un bref éclair du flash réfléchi.

Synchro deuxième rideau

Quand l'obturateur est ouvert pendant une longue période, il se produit forcément des choses bizarres de temps en temps. Toutes ne sont pas du meilleur effet.

En plus d'équilibrer le flash et la luminosité ambiante, la synchro lente du flash peut être exploitée à des fins créatives. Quand vous employez la synchro lente pour photographier des objets en mouvement ou que vous bougez délibérément l'appareil pendant une exposition lente, vous obtenez des effets de flou qui, à condition d'être

utilisés avec parcimonie, produisent des compositions attrayantes.

Plusieurs essais risquent d'être nécessaires avec des mouvements imprévisibles, mais cette technique vaut la peine d'être essayée.

Un inconvénient de la synchro lente devient apparent quand on photographie un objet illuminé qui se déplace en ligne droite de gauche à droite ou de droite à gauche devant l'appareil photo. Avec la synchro lente, l'élément flou de l'image donne l'impression

d'être précédé ou de dépasser l'élément qui a été figé par le flash. Cela s'explique par le fait que l'éclair est émis au début de l'exposition et qu'il fige le sujet à une extrémité du cadre, mais comme l'obturateur reste ouvert, une traînée du sujet est capturée car celui-ci continue à se déplacer dans le cadre.

Pour éviter cet effet peu réaliste, la plupart des appareils permettent de régler le déclenchement du flash en synchro lente à la fin de l'exposition plutôt qu'au début. Cette technique se nomme la synchro deuxième rideau. Le rideau de l'obturateur se compose généralement de deux morceaux de tissu épais qui

sont actionnés l'un après l'autre verticalement, à la manière de stores devant une fenêtre.

L'inconvénient de la synchro deuxième rideau est qu'il n'est toujours facile de prévoir à quelle distance se trouvera le sujet à la fin de l'exposition, et il n'est même pas sûr que le sujet soit encore dans le cadre au moment du déclenchement de l'éclair. La synchro lente offre un meilleur contrôle sur l'image. Mais si le sujet se déplace de manière prévisible, sur une trajectoire mesurable, et que vous voulez donner une impression de mouvement vers l'avant, essayez la synchro deuxième rideau.

← La vitesse du mouvement de jambes de ce danseur de hip-hop est telle que son jean semble à moitié transparent dans ce cliché en synchro lente (1/5 s).

→ Ces deux photos illustrent l'effet de la synchro lente standard (en haut) et de la synchro deuxième rideau (en bas). Dans la première, la moto est frappée par l'éclair au début de l'exposition, mais les feux créent une traînée qui paraît sortir du phare avant de la moto. Dans le second cliché, l'effet est inversé par la synchro deuxième rideau. Comme la moto est saisie à la fin de l'exposition, la lumière semble provenir de l'arrière de la moto.

Flash de studio

Disposer d'une puissance continue à une intensité suffisante permet de produire un éclairage pouvant être diffusé, réfléchi ou réorienté de différentes manières, en atteignant toujours le sujet avec une intensité suffisante pour offrir une bonne profondeur de champ.

Un flash de studio fonctionne de la manière suivante. Comme l'alimentation électrique est un courant alternatif à une tension relativement basse, le premier élément du circuit est un transformateur associé à un redresseur (ou plusieurs dans le cas de grosses unités). Le transformateur amplifie la tension et le redresseur convertit le courant alternatif en courant continu. Cette source de courant unidirectionnel à haute tension alimente ensuite le condensateur qui emmagasine la charge. À la demande, le courant haute tension du condensateur est déchargé dans le tube à éclair.

Étant donné le rendement lumineux pouvant être atteint par un seul tube à éclair (en plus du fait qu'il est pratiquement instantané), il n'est pas surprenant que les flashes alimentés par secteur fassent partie de l'éclairage de base du studio. Le rendement est mesuré en watts par seconde, ou joules, et celui d'un flash est généralement compris entre 200 et 1 000 joules (J). Pour exploiter le rendement extrêmement élevé des condensateurs, les tubes à éclair sont beaucoup plus gros que ceux des modèles intégrés aux appareils photo. À la place d'un petit tube droit, les flashes de studio ont généralement un tube circulaire.

Les modèles à haut rendement emploient des tubes en spirale. Grâce au haut rendement et à la grosseur des tubes, l'éclair a une durée plus longue que celle d'un flash monté sur le boîtier, pouvant atteindre quelques centièmes de seconde. Comme pour tout équipement photographique, les nombreux systèmes concurrents ne sont pas toujours compatibles. C'est notamment le cas des flashes de studio dont les systèmes d'alimentation, les câbles et les torches ne sont pas interchangeables. Comparez les différents produits avant de faire votre choix et anticipez vos besoins futurs. Il vous faudra peut-être plusieurs lampes identiques ou un lot de projecteurs spécialisés (l'un pour l'éclairage principal d'une nature morte, d'autres pour le fond, etc.). Le poids et l'encombrement de l'équipement doivent aussi être pris en compte.

Elinchrom A300N

Torche Bowens Esprit

Projecteurs

Ces projecteurs doivent être alimentés par un générateur séparé. L'achet d'un système d'éclairage complet est justifié par la fiabilité à long terme et la finesse du contrôle.

Torches

Les torches contiennent à la fois les organes d'alimentation et de réglages, ce qui en fait un équipement d'éclairage particulièrement polyvalent et pratique à transporter.

Kit transportable

Au moment du choix d'un éclairage de studio, demandez-vous si vous voulez l'emporter pour les prises de vue en extérieur. Si c'est le cas, l'équipement devra être compact et assez léger, comme cette torche munie d'une boîte à lumière pliable. Des pieds, comme ceux illustrés ici, servent à suspendre un éclairage principal en hauteur.

Kit à 3 torches Esprit

Sûreté du câblage

On trébuche facilement sur les câbles qui pendent du haut d'un trépied, ce qui provoque immanquablement un enchaînement de catastrophes. Pour l'éviter, pensez à fixer les câbles à la base des trépieds avec du ruban adhésif.

Pose longue

La vitesse d'obturation des reflex numériques va de 1/4000 s à 30 s. Que se passe-t-il si ce n'est pas suffisant ?

En plus des vitesses d'obturation habituelles, l'appareil a aussi un réglage Bulb, généralement identifié par la lettre B sur la molette de sélection des modes, ou accessible dans le menu des modes.

Quand la pose longue est activée, l'obturateur reste ouvert tant que le déclencheur est enfoncé. Il va sans dire qu'avec une exposition aussi longue, vous devez fixer l'appareil sur un trépied pour en assurer la stabilité. En plus du trépied, utilisez aussi une télécommande pour le déclenchement à distance. Cela signifie non seulement que vous n'aurez pas

besoin de toucher à l'appareil pendant l'exposition, ce qui limitera le bougé de l'appareil, mais cela alliera aussi confort et simplicité d'utilisation. En outre, le verrouillage du déclencheur évite de le maintenir enfoncé avec le doigt quand l'exposition dure plusieurs minutes.

Le mode Bulb est souvent utilisé pour photographier des scènes nocturnes, les feux d'artifice, les étoiles filantes ou tout sujet à très faible éclairage ambiant. Un défaut des reflex lié aux très longues expositions est la quantité de bruit présent dans la photo finale. La plupart des appareils ont un réglage de réduction du bruit réservé aux poses longues.

Photographier des étoiles filantes nécessite des temps de pose qui peuvent atteindre plusieurs minutes, voire plusieurs heures. Plus l'exposition est longue (et plus la focale de l'objectif est longue), plus les traînées sont longues. Parmi les autres facteurs à prendre en compte, il y a la présence éventuelle de l'éclairage ambiant (risque de surexposition) et l'autonomie de la batterie.

Pour photographier des feux d'artifice, fixez l'appareil sur un trépied braqué dans la direction voulue. Quand le spectacle commence, déclenchez à distance pour ouvrir l'obturateur.

Gardez l'obturateur ouvert pendant toute la durée de chaque explosion (de 1 à 2 s). Sans bouger l'appareil, vérifiez le cadrage sur l'écran LCD et ajustez-le au besoin. Variez la pose lente pour obtenir différents effets.

Prise de vue

Verrouillage du miroir

Si vous avez déjà vu des séquences prises au ralenti avec un reflex, alors vous savez à quel point le miroir tremble pendant l'exposition.

Quel que soit le modèle d'appareil, le miroir d'un reflex bouge à une vitesse extrêmement élevée lorsqu'il se relève (pour laisser pénétrer la lumière jusqu'au capteur) et qu'il se rabaisse (pour finir l'exposition). À chaque fois qu'il arrive en fin de course, le miroir rebondit légèrement. Ces soubresauts sont infimes et peuvent uniquement être détectés au ralenti, mais ils sont bien présents. Dans certaines circonstances, les vibrations causées par ces mouvements dans l'appareil nuisent à la netteté des images. C'est pourquoi de nombreux reflex offrent un réglage de verrouillage du miroir. Son emplacement dans le menu et son mode de fonctionnement varient légèrement d'un appareil à l'autre. Quand la fonction est activée, la procédure de prise de vue est un peu différente. À la première pression sur le déclencheur, le miroir bascule vers le haut, mais l'obturateur n'est pas déclenché. Le déclenchement a lieu quand vous appuyez une seconde fois sur le bouton. L'image est impressionnée et le miroir bascule vers le bas en reprenant sa position initiale.

La nature délicate de ces fleurs aurait été gâchée si la photo n'était pas aussi nette que l'objectif le permet. Lorsque vous combinez le verrouillage du miroir avec un objectif macro monté sur un boîtier fixé sur un trépied, vos photos ne devraient pas présenter de défaut de netteté.

Vous pouvez envisager d'activer le verrouillage du miroir en deux occasions : pour la prise de vue avec un long téléobjectif et en macrophotographie. Dans le premier cas, comme le champ de vision est très étroit, le moindre mouvement, aussi infime soit-il, produit une image atténuée, voire floue. Dans le second cas, la mise au point étant très proche du sujet grossi, les vibrations risquent aussi de flouter l'image.

Pensez aussi à utiliser un solide trépied et une télécommande car le but du verrouillage du miroir est de réduire au minimum les mouvements et les vibrations.

Comme le viseur s'obscurcit quand le miroir est verrouillé, vérifiez la composition, l'exposition et la mise au point avant d'activer la fonction.
La visée par l'écran implique une forme de verrouillage du miroir car celui-ci est relevé pour permettre à l'image d'atteindre le capteur qui la relaye vers l'écran LCD.

Associer le verrouillage du miroir aux longs téléobjectifs et aux super zooms contribue à assurer la netteté des clichés. Toutefois, le verrouillage du miroir n'est pas idéal pour les clichés d'action impliquant des mouvements rapides car le viseur obscurci empêche de recadrer rapidement.

Filtres

Malgré tous les artifices numériques disponibles dans un logiciel de retouche, les bons vieux filtres parviennent toujours à produire des effets irréalisables sur n'importe quel ordinateur.

Avant l'arrivée des ordinateurs et des logiciels de retouche d'image, les photographes transportaient des cartons entiers d'effets spéciaux et de filtres de couleur qui se fixaient devant l'objectif. L'éventail des possibilités était immense et l'on gaspillait beaucoup de pellicules en testant différents filtres pour en vérifier l'effet sur une scène donnée.

La plupart de ces filtres sont devenus obsolètes car il est bien plus facile et rapide d'appliquer des couleurs et des effets à l'aide d'un logiciel. Vous pouvez évidemment tester autant de couleurs et d'effets que vous le souhaitez sans frais supplémentaires.

Deux groupes de filtres ont traversé les époques car ils remplissent une fonction qui ne peut pas être imitée sur ordinateur.

Il s'agit, d'une part, du filtre polarisant. L'un des effets les plus caractéristiques d'un polarisant est la manière dont il assombrit un ciel bleu. Le filtre bloque la lumière polarisée qui est réfléchie par les minuscules particules en suspension dans l'atmosphère. Il réduit aussi les reflets, ce qui rend l'eau plus transparente et la photo plus lisible. Alors qu'il est assez facile d'assombrir le ciel sur ordinateur, les nuages ne seront jamais aussi bien mis en valeur qu'avec un polarisant. De même, il est impossible d'éliminer les reflets sur ordinateur. Les

meilleurs filtres polarisants sont circulaires, et ils sont compatibles avec les derniers systèmes autofocus.

Le second groupe de filtres a pour point commun le fait d'être gris. Il s'agit notamment des filtres gris neutre (ND). Ils ont essentiellement pour rôle de réduire la lumière qui pénètre dans l'objectif pour permettre d'ouvrir davantage le diaphragme (et réduire la profondeur de champ) ou de réduire la vitesse d'obturation (pour un flou artistique) en cas de fort éclairage ambiant quand, en l'absence de filtres, des petites ouvertures de diaphragme et des vitesses d'obturation rapides sont requises pour éviter une surexposition. Il y a plusieurs grades de filtres ND, plus ou moins translucides.

Les autres filtres qui utilisent du gris pour réduire la luminosité sont des filtres dégradés gris. Ils sont gris en haut et deviennent progressivement transparents vers le bas. Leur rôle est d'équilibrer l'exposition. Un ciel clair est souvent surexposé si l'exposition est définie pour le premier plan plus sombre. Un filtre dégradé gris assombrit le ciel, ce qui réduit la plage dynamique de la scène et permet donc de capturer toute l'image en un seul cliché.

Un filtre dégradé gris a permis de rééquilibrer le ciel et le premier plan de ce cliché.

Cette photo a été prise avec un filtre polarisant pour réduire la lumière réfléchie à la surface de l'eau. Les rochers sont visibles au-dessous de la surface et aucune haute lumière spéculaire ne gâche le cliché.

Un filtre neutre a permis de réduire la vitesse d'obturation dans ce cliché pour obtenir un effet de nébulosité blanche et laiteuse.

Technologie

Formats de fichiers

Nous avons brièvement abordé les formats de fichiers dans la partie précédente, mais nous les examinerons en détail ici en présentant les avantages et les inconvénients de chacun d'entre eux.

Les photos numériques peuvent être encodées de différentes manières. Certaines conviennent mieux aux images aux tons progressifs, comme les photos, tandis que d'autres sont mieux adaptées aux illustrations graphiques présentant des zones de couleur unie et des contours nets. Trois formats de fichiers sont les plus répandus en photographie : JPEG, TIFF et Raw.

Le format JPEG, le plus courant, offre deux avantages. Le premier est qu'il a été spécialement développé pour la diffusion de photos et qu'il est donc extrêmement répandu sur le Web, et le second est qu'il est capable de compresser une image jusqu'à 90 % de sa taille initiale. La méthode de compression regroupe les pixels par blocs de 8 × 8 en associant une valeur au groupe. Comme des informations de pixels sont perdues, ce procédé est désigné comme étant « avec perte ». Même si la photo perd de sa qualité avec un taux de compression élevé, des taux bas ne produisent aucune dégradation visible de l'image. Cela permet de conserver potentiellement plus de photos sur une carte mémoire.

Les réglages de l'appareil comme la netteté, le contraste ou la saturation des couleurs sont enregistrés dans le fichier JPEG, ce qui permet aux photos d'être imprimées directement depuis l'appareil, sans traitement particulier.

Le format TIFF (*Tagged Image File Format*) a initialement été conçu pour les images scannées. Ce format prend en charge des informations de

couleur sur 16 bits, même si les appareils enregistrent généralement des fichiers TIFF 8 bits. Comme pour les fichiers JPEG, les réglages de l'appareil sont intégrés aux fichiers, ce qui, en plus du fait qu'ils sont enregistrés en 8 bits, limite le post-traitement requis. Les fichiers TIFF non compressés sont très volumineux. Depuis l'arrivée du format Raw, de moins en moins d'appareils proposent le format TIFF.

Quant au format Raw, c'est un nom générique désignant les fichiers dans lesquels des réglages, comme la balance des blancs, la teinte, l'accentuation, etc. sont enregistrés et conservés séparément des informations d'image. Cela présente l'avantage que tous les réglages appliqués peuvent être modifiés lors du traitement de l'image sans aucune perte de qualité. De plus, les photos enregistrées au format Raw sont en 12 ou 14 bits, et contiennent donc davantage d'informations d'image pouvant être mises à profit pour des ajustements importants au moment du post-traitement.

Le principal inconvénient des fichiers Raw est que les photos ne peuvent pas être imprimées directement depuis l'appareil. Elles doivent d'abord être ouvertes dans un convertisseur Raw (page 120), avant toute intervention sur un ordinateur. C'est précisément pour cette raison que de nombreux reflex numériques proposent d'enregistrer les photos à la fois aux formats Raw et JPEG (option Raw+JPEG dans le menu). Ainsi, le photographe bénéficie des avantages des deux formats : des fichiers JPEG pour une diffusion rapide et des fichiers Raw si un post-traitement d'envergure est requis. Le prix à payer est la quantité supérieure d'espace occupé par chaque photo et le temps de traitement plus long demandé pour le transfert de chaque photo sur la carte.

Compression JPEG

Deux ou trois niveaux de compression JPEG sont généralement appliqués dans l'appareil. Chaque modèle d'appareil désigne à sa manière les niveaux de compression appliqués, du type Fine et Normal, ou Élevée, Normal et Basic, en faisant référence à la qualité de la photo obtenue. Par exemple, Élevée correspond à une faible compression et à une qualité élevée, tandis que Basic équivaut à une compression élevée pour une qualité médiocre. La taille finale du fichier compressé dépend de la photo. Les clichés contenant de grandes zones unies sont davantage compressés que ceux qui présentent de nombreux détails. Si vous préférez le format JPEG, il est important d'anticiper la qualité finale des photos aux différents taux de compression. Choisissez un réglage qui compresse la photo pour économiser de l'espace sur la carte mémoire, sans nuire notablement à la qualité de l'image.

Faible compression
– qualité élevée

Compression moyenne
– qualité moyenne

Compression élevée
– qualité médiocre

Contrairement au format JPEG, le format TIFF standard décrit chaque pixel en termes de couches de couleurs rouge, verte ou bleue, ce qui explique une taille de fichier nettement supérieure.

Profondeur de bit et qualité d'image

La profondeur de bit décrit le niveau de précision des couleurs d'une image numérique. Un bit est une unité informatique de base pouvant avoir l'un de deux états possibles (oui ou non, ou noir ou blanc). Un octet est un groupe de 8 bits ayant 256 combinaisons possibles (2^8), soit 256 valeurs allant du noir au blanc. Une photo RVB a trois couches (rouge, vert et bleu) et peut donc afficher 16,7 millions de couleurs ($256 \times 256 \times 256$). Même si l'œil humain n'est pas capable de distinguer autant de couleurs, les profondeurs de bit élevées, ayant potentiellement des milliards de couleurs, permettent des dégradés plus progressifs (dans le ciel notamment). De plus, au moment de la retouche de l'image, lorsque la profondeur de bit est élevée, la photo peut subir des ajustements radicaux avec moins de risques d'apparition d'artefacts.

Les imprimantes intègrent maintenant des pilotes 16 bits capables de gérer les photos en 12 ou 14 bits (et en 16 bits, le cas échéant). Avec leurs cartouches d'encre de 8 voire 10 couleurs, ces imprimantes sont capables d'accroître la plage des couleurs imprimables.

3.02

Convertisseurs Raw

Avant d'ouvrir vos fichiers Raw dans un logiciel de retouche d'image standard, vous devez passer par un convertisseur Raw (souvent inclus dans le logiciel de retouche).

Le format Raw est de plus en plus apprécié pour sa meilleure qualité d'image et un nombre croissant de fabricants le proposent sur leurs appareils photo. Les appareils compacts peuvent maintenant aussi enregistrer des fichiers Raw. Le choix des convertisseurs Raw ne cesse de croître. Pour l'essentiel, ces utilitaires se chargent d'appliquer divers traitements aux données brutes, comme le démosaïquage pour calculer les couleurs de chaque pixel (car les capteurs eux-mêmes sont monochromes).

Les premiers convertisseurs Raw ne faisaient guère plus qu'exécuter les scripts de décodage obligatoires, en profitant parfois de la plage dynamique étendue pour ajuster l'exposition, afin de produire un fichier à même d'être traité par un logiciel de retouche d'image standard. Leurs fonctionnalités sont bien plus étendues aujourd'hui. Pour optimiser le flux de production des

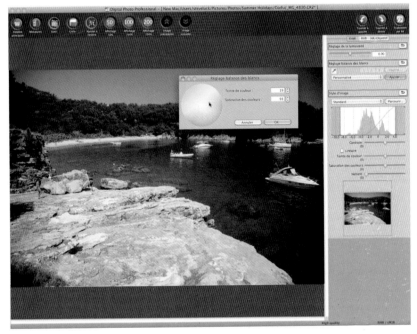

Toutes les marques ont leur propre logiciel de conversion Raw propriétaire. Il est généralement fourni sur le CD d'accompagnement de l'appareil pour vous permettre d'ouvrir les fichiers Raw avant de les convertir au format TIFF ou JPEG. C'est la solution la plus économique pour convertir des fichiers Raw. Cette illustration représente la correction de la balance des blancs d'une photo Raw dans le logiciel DPP (Digital Photo Professional) de Canon.

photographes, ces programmes leur permettent désormais de corriger les photos originales (mais pas les données brutes). Ces modifications (l'ajustement du contraste, de la netteté, de la couleur, etc., parfois même la correction des déformations dues à l'objectif et la suppression des poussières) sont répertoriées avec le fichier Raw et appliquées au moment de la conversion.

Le but du convertisseur est de réduire le nombre d'étapes à franchir avant de parvenir à la photo imprimée ou exposée. Des logiciels comme Adobe

Lightroom réunissent tous les outils nécessaires à l'édition d'un fichier Raw, y compris une palette d'effets spéciaux, avant l'exportation de la photo pour son impression ou sa diffusion sur le Web. Quand la photo demande peu ou pas de retouches détaillées au niveau des pixels, la transformation du fichier brut en photo finale est extrêmement rapide.

Il est essentiel que vous conserviez vos fichiers Raw car les convertisseurs sont sans cesse améliorés pour accroître la qualité des photos issues des données brutes.

Adobe Lightroom est un outil extrêmement puissant qui associe les fonctions de catalogage et de retouche d'image. La plupart des opérations de traitement peuvent être appliquées à grande échelle, mais pour les corrections localisées, il est préférable d'utiliser un autre programme.

Le convertisseur Raw de Photoshop (ACR) fait partie du programme. Il utilise le même moteur qu'Adobe Lightroom et effectue des tâches comparables. Vous voyez ici l'application d'un filtre dégradé sur un fichier Raw avant sa conversion au format TIFF ou JPEG en vue d'autres corrections. Souvenez-vous qu'après l'application de modifications dans un convertisseur Raw, les données initiales restent disponibles au cas où vous changeriez d'avis.

Espaces colorimétriques

De tous les sujets liés aux images numériques, l'espace colorimétrique paraît le plus ardu. Certes, c'est un domaine technique, mais il est régi par quelques principes simples.

Un espace colorimétrique est un modèle qui décrit la plage de couleurs (gamut) pouvant être enregistrées ou affichées. Certains espaces colorimétriques sont plus vastes que d'autres.

Le problème posé par la présentation des différences entre les espaces colorimétriques dans un livre est que la combinaison du papier et des encres d'impression aboutit à un gamut très réduit. Sachez donc que les grands espaces colorimétriques illustrés ici ne sont pas restitués fidèlement.

À ce stade, il est important de noter que certains espaces colorimétriques sont utilisés par l'appareil pour enregistrer les photos (espace du périphérique), d'autres pour le traitement des photos (espace de travail) et d'autres encore pour la sortie (espace de destination). En termes d'espace du périphérique, l'appareil photo propose généralement deux espaces colorimétriques : Adobe RGB et sRGB. Adobe RGB a un gamut plus large, comme le montre les illustrations, et est capable d'enregistrer davantage de couleurs. Choisissez-le si vous retouchez vos photos sur ordinateur. La palette de couleurs plus vaste permet des dégradés plus progressifs et offre davantage de possibilités. Si l'imprimante partage le même espace colorimétrique, le rendu des couleurs n'en sera que meilleur.

Si vous voulez imprimer directement vos photos depuis l'appareil ou si vous avez l'intention de les diffuser sur le Web, préférez l'espace sRGB qui est plus compact. Les couleurs seront mieux restituées sur les moniteurs et c'est l'espace utilisé par les imprimantes et les scanners d'entrée de gamme. Si vous photographiez en Raw, vous pouvez choisir l'espace colorimétrique quand vous ouvrez l'image dans le convertisseur Raw après la prise de vue. Adobe Camera Raw (ACR), par exemple, propose Adobe RGB, sRGB, ColorMatch RGB (plus petit qu'Adobe RGB) et ProPhoto RGB. Comme ce dernier est bien plus vaste que les autres, un nombre croissant de photographes lui donnent la préférence car il offre davantage de flexibilité pour le traitement des photos en couleurs. Une autre possibilité consiste à choisir le mode de couleur CIE L*a*b* dans le logiciel de traitement. Ce mode de couleur est le plus proche de la vision humaine. Il se compose de trois couches : l'une pour la luminosité et les deux autres pour des plages de couleurs opposées. L est l'initiale de Luminance, a* correspond à la plage rouge-vert et b* à la plage bleu-jaune. Cet espace colorimétrique est très vaste et la séparation de la couche de luminosité présente des avantages au moment de la retouche.

Enfin, concernant l'espace de destination, si la photo est destinée à être affichée sur le Web alors que l'espace de travail est plus vaste (comme ProPhoto RGB), enregistrez le fichier dans l'espace sRGB par une conversion du profil à la fin des retouches. Si la photo est destinée à être imprimée, il est plus sûr d'enregistrer le fichier avec le mode de couleur Adobe RGB parce que c'est l'espace RVB le plus répandu et qu'il est universellement reconnu par les imprimantes.

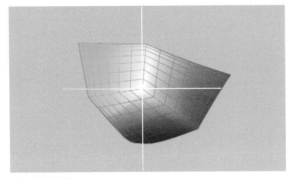

Les deux espaces colorimétriques les plus répandus sur les reflex numériques sont Adobe RGB et sRGB. Bien que le gamut d'Adobe RGB soit plus vaste, réservez-le à la retouche des photos avant leur impression. Si vous imprimez directement depuis l'appareil (ou la carte mémoire), optez pour l'espace sRGB plus réduit et plus sûr.

Adobe RGB (1998)

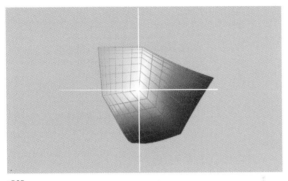

sRGB

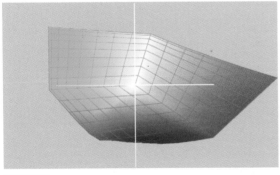

Comme le démontrent bien ces illustrations, le gamut de ProPhoto RGB est bien plus vaste que celui d'Adobe RGB ou de sRGB (une version de ProPhoto RGB est employée dans Lightroom). Avec des photos en 12 ou 14 bits, ProPhoto vous donne accès à des couleurs qui ne sont pas incluses dans le gamut d'Adobe RGB. Mais si les photos doivent être converties en 8 bits (pour l'impression), enregistrez-les en mode Adobe RGB.

ProPhoto RGB

Moniteurs et couleurs

Lorsque vous travaillez en Raw pour une qualité optimale et que vous corrigez vos photos avant de les diffuser, le moniteur est l'équipement le plus important de votre labo numérique.

Comme la plupart des technologies, les moniteurs ont beaucoup progressé récemment. Les moniteurs à tube cathodique (CRT) sont progressivement mis au rebut car les performances des écrans LCD ont considérablement progressé. Les écrans plats ont une meilleure luminosité, davantage de contraste, moins de reflets et aucun problème de scintillement. L'angle de vue, qui était assez limité autrefois, ne l'est plus. Quelle que soit votre position par rapport à l'écran, la luminosité et les couleurs ne changent plus énormément.

Le moniteur étant l'interface entre vos photos et votre public, il est important de le configurer correctement. L'étalonnage des couleurs et, par association, la gestion des couleurs, est un vaste sujet. La bonne nouvelle est qu'une part importante de la gestion des couleurs est effectuée en coulisses, car elle est en partie intégrée aux logiciels et aux périphériques employés. Un système parfait inclut les paramètres de couleurs de Photoshop, un profil d'appareil précis et l'étalonnage du moniteur.

Ne vous laissez pas intimider si vous êtes novice en gestion des couleurs car vous ne devriez pas avoir à trop approfondir le sujet. Si vous imprimez vos photos chez vous, l'ordinateur reconnaîtra probablement le profil d'imprimante et ajustera les couleurs de façon à ce qu'elles soient restituées de la même manière à l'impression et à l'écran. Si vous faites imprimer vos photos par un professionnel, les fichiers contiendront suffisamment d'informations pour que l'imprimeur sache comment effectuer les tirages. Vous n'avez qu'à conserver le profil dans les

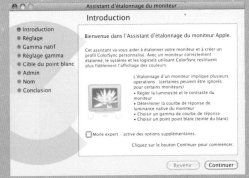

Étalonnage sur un Mac

Pour étalonner un moniteur sous Mac, ouvrez les Préférences système depuis le Dock et sélectionnez l'onglet Couleur dans le menu Moniteurs. Suivez les instructions affichées à l'écran. Vous devrez choisir un réglage gamma : si vous travaillez exclusivement sous Mac, tenez-vous-en au standard 1.8.

photos que vous remettez à l'imprimeur. Tant que vous préparez vos photos en vérifiant que les ombres et les hautes lumières se trouvent là où il faut, sans couleur dominante (sauf si c'est intentionnel), vous avez rempli votre rôle.

Cela nous ramène à l'étalonnage du moniteur. Cette opération est importante car elle définit l'espace colorimétrique dans lequel s'effectue la majeure partie du travail. Si vous appliquez des changements globaux importants aux photos prises avec votre appareil photo numérique, dites-vous que quelque chose ne va pas. Le problème est généralement imputable à l'étalonnage du moniteur.

Si vous voulez effectuer l'étalonnage du moniteur sérieusement, procurez-vous un système de colorimétrie, comme i1 de X-Rite. Démarrez le logiciel et placez le colorimètre qui ressemble à une souris sur votre moniteur en vous référant aux instructions affichées sur l'écran. Le logiciel établit le profil colorimétrique du moniteur à partir des valeurs de couleurs mesurées.

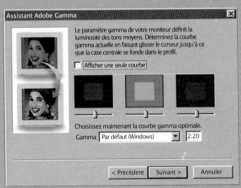

Étalonnage sous Windows

Aucun outil d'étalonnage n'est proposé sous Windows. Toutefois, Photoshop est fourni avec l'utilitaire Adobe Gamma qui n'est plus installé automatiquement. Il se trouve dans le Panneau de

configuration. Si vous ne l'y voyez pas, vous devez l'installer à partir du CD du programme. Ouvrez le module à partir de l'affichage classique.

Capacité de traitement

Le volume des fichiers des photos ne cessant de croître en même temps que le nombre de mégapixels capturés par l'appareil, la capacité de traitement de l'ordinateur ne doit pas être en reste.

Le problème ne se limite pas à la taille des fichiers d'image actuels. Leur complexité et le niveau de précision du rendu dictent aussi les caractéristiques de l'ordinateur qui en assure le traitement. Vous ne réserverez probablement pas non plus votre ordinateur à la retouche et à la sortie de photos et vous devez tenir compte de vos différents besoins.

En ce qui concerne la performance, achetez l'ordinateur le plus rapide possible. La vitesse de traitement est aujourd'hui de l'ordre de plusieurs gigahertz (GHz), mais celle des anciens ordinateurs se mesure encore en mégahertz (MHz). Plus le processeur est puissant, plus l'ordinateur est rapide. Mais ça a un prix.

Tenez également compte de la mémoire vive lors de l'achat d'un ordinateur. Avec la vitesse du processeur, la quantité de mémoire RAM (*Random Access Memory*) détermine la vitesse à laquelle vous pouvez retoucher vos photos. La plupart des logiciels de traitement d'image préconisent une configuration minimale recommandée. Tenez-en compte au moment de l'achat d'un nouvel ordinateur. Photoshop CS4, par exemple, exige un processeur de 1,8 GHz et 512 Go de RAM. Si vous vous en tenez à ces valeurs minimales, vous devez faire preuve d'une grande patience quand vous ouvrez deux ou trois gros fichiers en même temps. Si vous faites de la retouche intensive, un processeur de 2 GHz et 2 Go de RAM devraient suffire. Il est possible de pallier un manque de mémoire RAM par de la mémoire virtuelle en détournant temporairement une partie de l'espace libre sur le disque dur. N'employez cette solution qu'en dernier recours car les performances en pâtissent considérablement.

Si vous trouvez que votre ordinateur est trop lent après l'installation de la dernière version de votre logiciel de retouche d'image favori, ne vous précipitez pas pour autant pour acheter un nouvel ordinateur. Commencez par augmenter la RAM. Cela peut suffire à améliorer les performances de l'ordinateur.

Le disque dur affecte aussi les performances de l'ordinateur, même si on n'en a pas toujours conscience. Choisissez un modèle ayant une vitesse de rotation élevée (7 200 tr/min plutôt que 5 600 tr/min) pour accélérer le traitement des données, surtout quand le logiciel puise dans la mémoire virtuelle.

Hormis les performances, vous devez aussi tenir compte des accessoires fournis avec l'ordinateur. A-t-il un graveur de CD/DVD (toujours utile pour copier et archiver les images) ? Est-il équipé d'une connexion Internet sans-fil ?

Une autre question que l'on se pose relève du choix d'un ordinateur Mac ou Windows. Ces deux systèmes sont équivalents en termes de traitement d'image. Tout dépend des habitudes de chacun. Les principaux programmes de retouche, ainsi qu'un large éventail d'utilitaires et de plug-in, sont disponibles pour les deux environnements. Certains utilisateurs préfèrent le Mac pour son interface et sa connectivité facile avec les périphériques Apple, d'autres préfèrent Windows pour son plus vaste choix de logiciels. Les Mac sont généralement plus chers, mais ils sont considérés comme plus sûrs et moins victimes de virus. Tenez aussi compte des autres utilisateurs de votre foyer et de leurs besoins.

Pour améliorer les performances, allouez le maximum de RAM et beaucoup de cache à l'application. Sous Mac, sélectionnez Photoshop >

Préférences > Performances (sous Windows, passez par le menu Édition). Sous Utilisation de la mémoire, allouez environ 70 % de la RAM. Définissez les

niveaux de cache en fonction de vos habitudes de travail : valeur basse pour les petits fichiers avec de nombreux calques ou inversement.

Un vaste arsenal de périphériques est disponible quel que soit le système utilisé. Les tablettes graphiques, par exemple, permettent de travailler de manière plus intuitive, surtout avec un pinceau numérique. Les derniers modèles, comme celui-ci de Wacom, réagissent aussi aux mouvements des doigts.

Si vous êtes connecté à Internet, il est très facile de vérifier que votre logiciel est à jour. La

vérification s'effectue automatiquement sous Mac et Windows.

Cartes mémoire

Les cartes mémoire sont les supports de stockage utilisés par tous les appareils numériques. Il en existe de différentes dimensions et capacités, mais votre modèle d'appareil est probablement compatible avec un ou deux types seulement.

Tout comme les caractéristiques des appareils n'ont cessé de progresser au fil des ans, les cartes mémoire n'ont pas non plus échappé au flux du progrès. Les fabricants n'ont pas ménagé leurs efforts pour améliorer la fiabilité, la capacité et les vitesses de transfert de leurs produits.

Les cartes les plus utilisées jusqu'à présent dans les reflex numériques sont du type CompactFlash, surtout parce que Canon et Nikon, les deux principaux fabricants de reflex numériques, ont conçu leurs appareils de façon à ce qu'ils soient compatibles avec ces cartes qui offraient traditionnellement la meilleure fiabilité pour une capacité maximale. Depuis, des cartes plus petites, notamment aux formats SD/SDHC et xD, ont fait leur apparition sur le marché (surtout pour les appareils compacts). Leurs capacités et leur fiabilité ont été encore améliorées et elles ont été adoptées par des marques de reflex comme Pentax et Olympus. Les reflex de Sony (qui s'est aussi fait une place sur le marché de la photo numérique) utilisent le format Memory Stick propriétaire ou SD/SDHC. Le dernier défi en date posé aux fabricants de carte a été de produire des supports ayant une vitesse en lecture/écriture suffisamment rapide pour enregistrer les vidéos haute définition produites par le nombre croissant de reflex numériques dotés de cette fonctionnalité. La vitesse minimale recommandée s'élève à 10 Mbit/s (ou 66×). Mais si vous voulez prendre des photos tout en filmant une vidéo, une carte plus rapide s'impose. Les cartes ayant une vitesse en lecture/écriture de 30 Mbits/s (200×) sont relativement répandues aujourd'hui.

La technologie des cartes mémoire ne cesse d'évoluer. On prévoit qu'en 2015 environ, leur capacité de stockage se mesurera en téraoctets. Le projet de norme SDXC se base sur une capacité maximale de 2 téraoctets, soit un espace suffisant pour accueillir 100 films en haute définition, environ 480 heures de musique d'excellente qualité ou encore 136 000 photos en haute résolution.

Ne choisissez pas forcément la carte la moins chère. Même si les cartes n'ont pas de parties mobiles, certaines marques, notamment SanDisk et Lexar, sont plus fiables. C'est un critère à prendre en compte, surtout si vous préférez les cartes de très grande capacité, pouvant contenir des centaines de photos irremplaçables.

Pensez à formater la carte dans l'appareil photo après avoir transféré les photos sur ordinateur, même si vous les avez effacées depuis celui-ci. Les opérations courantes, telles que la suppression de quelques photos, fragmentent les données de la carte. En défragmentant les données, le formatage prolonge la durée de vie du support.

CompactFlash (CF)

Les cartes mémoire CompactFlash sont les plus utilisées par les reflex numériques. La technologie de la mémoire flash a été testée et approuvée. Ces supports sont extrêmement fiables et durables (leur durée de vie est estimée à 100 ans). Leur capacité et vitesse ne cessent de croître (grâce à la norme UDMA super rapide) pour répondre aux demandes de la capture vidéo haute définition et du volume croissant des fichiers dû à la résolution toujours plus élevée des appareils. Il existe aujourd'hui des cartes CF de 64 Go, sachant qu'une capacité élevée n'est pas toujours synonyme de vitesse.

Secure Digital (SD/SDHC)

De plus en plus de reflex numériques sont compatibles avec le format SD/SDHC bien qu'il ait été développé à l'origine pour le marché des compacts qui a encouragé la miniaturisation des supports de mémoire. La nouvelle technologie HC a permis d'augmenter la capacité des cartes pour atteindre 16 Go aujourd'hui. On prévoit qu'une autre technologie, le SDXC, prendra le relais et proposera des capacités pouvant atteindre 2 téraoctets.

Memory Stick

Le format Memory Stick de Sony, qui a vu le jour en 1999, a été conçu pour les caméscopes et les appareils photo de la marque. À l'origine, le format était bien plus long et étroit, d'où son nom, mais les modèles de seconde génération (dont PRO Duo et PRO-HG Duo) bien plus courts et étroits ont été plus spécifiquement conçus pour les petits appareils. Les cartes PRO Duo ont une capacité maxi théorique de 32 Go et une vitesse en lecture/écriture de 160 Mbit/s. La nouvelle version XC en phase de développement a une capacité annoncée de 2 téraoctets.

Lecteurs de cartes

Même s'il est possible de brancher directement l'appareil photo sur un ordinateur pour transférer les photos, il est plus pratique d'utiliser un lecteur de cartes, comme celui-ci de Lexar. Un vaste choix de modèles sont disponibles sur le marché, mais les vitesses de transfert varient. Les plus rapides utilisent la technologie USB2 ou le futur USB3.

Métadonnées

Le visionnage immédiat, la flexibilité et l'accessibilité comptent parmi les avantages les plus évidents de la photographie numérique. Mais il ne faut pas oublier les informations intégrées au fichier d'image.

Le terme métadonnées désigne des informations intégrées dans un fichier d'image (ou tout autre fichier). Il existe divers types de métadonnées. Certaines sont automatiquement jointes au fichier au moment de la prise de vue. D'autres sont ajoutées manuellement par le photographe, généralement au moment du transfert des photos sur l'ordinateur.

Les informations insérées par l'appareil au moment de la prise de vue sont au format EXIF (Exchangeable Image File Format). Les données EXIF varient légèrement d'un appareil à l'autre et en fonction de l'explorateur employé, mais elles incluent généralement le numéro du fichier, la date et l'heure de la prise de vue, la sensibilité, la vitesse et le diaphragme, la marque et le modèle d'appareil photo, la marque et le modèle d'objectif, la focale de l'objectif, le mode d'exposition et le déclenchement du flash.

En plus d'afficher les données EXIF créées par l'appareil, la plupart des explorateurs de photos permettent aussi de saisir des informations, comme

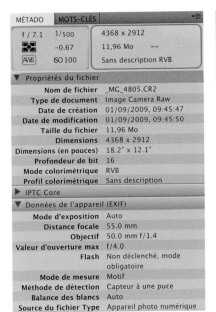

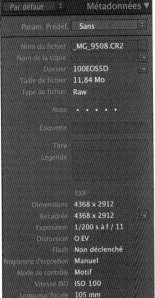

le lieu de la prise de vue, des mots-clés, le nom de l'événement, une légende, votre nom, le copyright, etc. Ces informations sont intégrées aux fichiers et peuvent être utiles de différentes manières.

Tout d'abord, si vous utilisez un navigateur ou une base de données d'images, vous pouvez effectuer des recherches basées sur des paramètres fréquemment employés, comme la date et l'heure, le lieu, etc. Par conséquent, les métadonnées facilitent l'organisation et le catalogage des photos.

Ensuite, certaines applications (comme les utilitaires de réduction du bruit) doivent connaître les réglages de l'appareil pour pouvoir appliquer les ajustements adaptés à la photo.

Enfin, si vous devez prouver que vous êtes le propriétaire d'une image, les métadonnées intégrées au fichier vous aideront à établir la provenance de la photo.

Les métadonnées sont aussi utilisées par les agences et d'autres organismes pour vérifier qu'une photo remplit bien certains critères, comme la résolution physique, ou pour s'assurer de leur authenticité.

← ← Exemple de métadonnées affichées dans l'explorateur Bridge de Photoshop. Les métadonnées deviennent de plus en plus sophistiquées. Certains appareils numériques intègrent même un GPS qui enregistre les coordonnées du lieu exact de la prise de vue.

← Les métadonnées de Lightroom ressemblent beaucoup à celles d'un explorateur d'images. Il s'agit notamment des dimensions de la photo, de l'exposition, de la correction d'exposition et du mode d'exposition. Vous pouvez aussi attribuer des notes aux photos et ajouter un titre et une légende.

← Un explorateur comme Bridge (fourni avec Photoshop) ou un logiciel autonome comme iView Media Pro permettent de visionner les photos et de modifier certaines informations de fichiers. Les métadonnées permettent de retrouver facilement des photos car il est possible d'effectuer des recherches sur divers paramètres.

Stockage et archivage

Même les photographes occasionnels, comme ceux qui font essentiellement des photos de vacances ou de famille, feront vite le constat qu'ils ont des centaines de photos irremplaçables.

Aujourd'hui, les ordinateurs de bureau ont des disques durs relativement gros (1 ou 2 téraoctets ou To ne sont pas rares) et dont la capacité ne cesse de croître. Malgré tout, comme les applications et programmes récents sont très gourmands en mémoire et que vos photos doivent partager l'espace disponible avec des fichiers audio, des films, des jeux, etc., vous découvrirez tôt ou tard que l'espace commence à manquer.

Même si les fichiers de vos précieuses photos numériques sont bien plus résistants que les anciens négatifs (ils ne peuvent être ni rayés ni physiquement dégradés), ils ont aussi des points faibles. Comme ce sont des fichiers numériques, ils courent le risque d'être effacés ou corrompus, ce qui équivaut à une perte irréversible.

Deux raisons peuvent vous inciter à vous procurer de l'espace de stockage externe supplémentaire. La mémoire supplémentaire se présente le plus souvent sous la forme de disques durs externes de grande capacité. Ils sont relativement bon marché et leur prix ne cesse de chuter. Quand vous branchez le disque externe sur l'ordinateur via un câble USB ou FireWire, il apparaît sous la forme d'une icône sur le moniteur.

Utilisez le disque dur externe en relation avec un programme de sauvegarde ou contentez-vous de copier toutes vos données. Un authentique logiciel de sauvegarde se contente d'ajouter les nouveaux fichiers et vous évite de copier à nouveau tous les fichiers existants. Les données sont généralement sauvegardées toutes les cinq ou dix minutes. En plus du disque dur externe, envisagez aussi de stocker vos images sur des DVD ou des disques Blu-ray. Vos photos seront ainsi conservées sur un autre type de support non magnétique. Les DVD sont très stables et ont une capacité de 4,5 Go (monocouche), tandis que celle des Blu-ray s'élève à 25 Go.

Tous les nouveaux Apple Macintosh sont équipés du système de sauvegarde d'Apple, Time Machine. Il vous suffit de connecter un disque dur externe et de démarrer Time Machine. Après une courte procédure d'installation, Time Machine effectue une sauvegarde toutes les heures. Quand le disque de sauvegarde est plein, les anciennes sauvegardes sont automatiquement supprimées et remplacées par les nouvelles.

↑ Ce disque dur externe de LaCie a une vitesse de transfert rapide qui accélère l'accès aux données. Il est proposé avec des capacités de 500 Go, 1 To, 1,5 To et 2 To.

Les CD, DVD et Blu-ray ont des dimensions et des technologies comparables, mais ils ont chacun des creux plus petits et des intervalles plus réduits entre les pistes, ce qui accroît leur capacité. Les deux derniers peuvent aussi être multicouches. Même si les CD-R et Blu-ray inscriptibles sont standard, il existe plusieurs types de DVD :

• DVD-R et DVD-RW : comme le CD-R, un DVD-R (ou DVD-Recordable) est inscriptible une fois. Pendant l'enregistrement, un puissant rayon laser rouge modifie durablement la couche sur laquelle les données sont enregistrées. Le DVD-RW est réinscriptible, mais moins répandu que le format DVD-R.

• DVD+R et DVD+RW : ce format DVD a une compatibilité élevée. Comme le DVD-R, il existe en versions inscriptible et réinscriptible avec différents niveaux de compatibilité. Certains graveurs peuvent maintenant écrire sur les formats +R et -R et sont dénommés +/-R. Privilégiez-les si vous achetez un graveur de DVD.

← Le LaCie d2 DVD±RW peut graver des CD et toutes les sortes de DVD à une vitesse atteignant ×22. Il se connecte sur un port USB 2.0 ou FireWire et le graveur est compatible PC et Mac.

Entretien de l'appareil

Votre appareil est précieux et même s'il est relativement solide, certaines précautions doivent être prises pour en assurer le bon fonctionnement.

Même si les appareils photo numériques ont moins de parties mobiles que les appareils argentiques, ils sont plus fragiles en raison de leurs composants électroniques.

Évitez de mouiller l'appareil. Certains modèles sont plus étanches que d'autres et il est conseillé de se renseigner sur ce point avant d'entreprendre une séance de prises de vue lors de laquelle l'appareil risque d'être exposé aux intempéries. Si vous devez prendre des photos sous la pluie, mettez l'appareil dans un sac en plastique en prévoyant un trou pour l'objectif. Mettez l'appareil à l'abri dans un sac étanche quand vous ne vous en servez pas. Ne le plongez pas dans l'eau sans l'avoir placé dans une housse étanche.

La condensation est aussi un problème pour les appareils photo. Si vous photographiez en extérieur par temps froid, de la condensation risque de se former sur l'appareil et d'endommager les circuits quand vous rentrez au chaud. Mettez l'appareil dans un sac en plastique étanche avant de rentrer chez vous, puis laissez-y l'appareil pendant 30 minutes environ pour qu'il s'adapte à la température plus chaude. En cas de condensation, démontez l'objectif dans un endroit chaud et non poussiéreux, retirez la batterie et la carte mémoire et laissez le boîtier sécher à l'air libre. N'essayez pas d'utiliser l'appareil en présence de condensation car cela endommagerait les circuits.

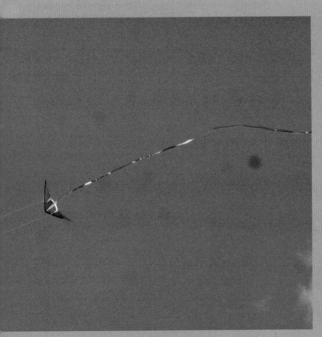

La poussière sur le capteur se manifeste sous la forme de taches noires plus particulièrement visibles aux petites ouvertures, comme $f/22$, et dans les zones de couleur unie, comme le ciel bleu. Quand vous changez d'objectif, faites-le dans un environnement dépourvu de poussière, éteignez toujours l'appareil et dirigez-le vers le bas pour limiter la quantité de poussière susceptible d'entrer dans le boîtier.

Comme l'humidité, l'électronique n'aime pas non plus les champs magnétiques. La proximité d'un puissant aimant ou de tout appareil provoquant des perturbations électromagnétiques nuit au bon fonctionnement de l'appareil et peut endommager les données d'image.

Enfin, les reflex numériques n'aiment pas du tout la poussière qui pénètre facilement dans le boîtier dès que vous changez d'objectif, surtout quand l'environnement est poussiéreux. Vérifiez que l'appareil photo est éteint avant de changer d'objectif. S'il est allumé, le capteur est légèrement chargé en électricité, ce qui attire la poussière. Les capteurs ont toujours été particulièrement sensibles à la poussière. Aux petites ouvertures de diaphragme, la poussière a l'apparence de taches sombres sur toutes les photos. S'il n'y en a que quelques-unes, elles peuvent facilement être éliminées à l'aide des outils de retouche. Mais quand elles sont plus nombreuses, la seule solution est de nettoyer le capteur.

La plupart des reflex récents ont des capteurs autonettoyants. Le filtre passe-bas (qui recouvre le capteur) vibre, ce qui fait tomber la poussière dans un réceptacle. Ce système est assez efficace, mais il arrive que des poussières ne se décollent pas. Dans ce cas, l'appareil propose une fonction qui vous permet de prendre une photo d'un objet blanc de façon à ce que la poussière soit clairement visible. L'appareil enregistre l'emplacement du défaut et ajoute cette information à tous les fichiers d'image. Quand vous ouvrez les fichiers dans le logiciel approprié, l'ordinateur supprime automatiquement les taches sur la photo.

Nettoyage du capteur

Même si les fabricants d'appareils recommandent d'adresser l'appareil à un service agréé pour le nettoyage du capteur, cela peut prendre des semaines et ce n'est pas toujours pratique. Vous pouvez le faire vous-même à condition de prendre certaines précautions. S'il n'y a que quelques traces de poussière, vous devriez pouvoir les éliminer à l'aide d'une poire en caoutchouc.

1) Vérifiez que la batterie est pleine. Démontez l'objectif puis allumez l'appareil. Sélectionnez la fonction de nettoyage du capteur. Le miroir se relève pour laisser voir le filtre passe-bas et le capteur.

2) Éclairez le capteur pour retrouver les grains de poussière et délogez-les à l'aide d'une soufflette. Tenez l'appareil vers le bas pour faire tomber les particules hors du boîtier. Quand vous avez terminé, éloignez la soufflette du boîtier et éteignez l'appareil. Le miroir se remet en place.

Si les poussières persistent, essayez d'essuyer le filtre passe-bas à l'aide d'un tampon spécial. La procédure est identique à la précédente, mais suivez les instructions de la notice d'utilisation des tampons, qui expliquent comment essuyer le filtre.

Références

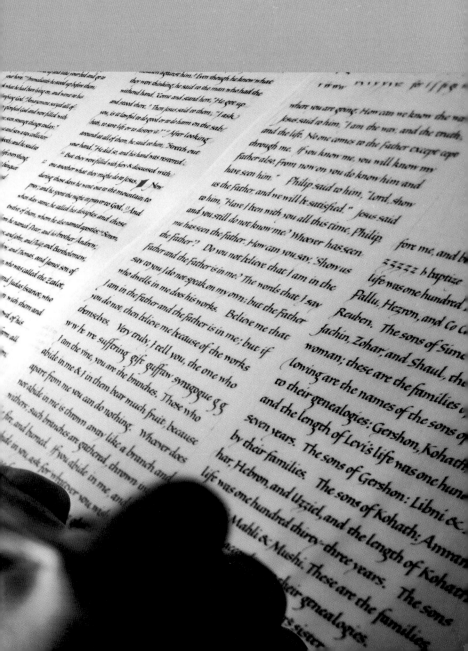

Glossaire

Aberration. Défaut d'un objectif qui déforme légèrement l'image.

Bague-allonge. Adaptateur monté sur un reflex entre le capteur et l'objectif pour permettre de faire la mise au point sur un sujet proche.

Balance des blancs. Contrôle utilisé pour équilibrer l'exposition et les réglages de couleur des différents types d'éclairage artificiels.

Bit (Binary Digit). Plus petite unité d'information binaire, pouvant être 1 ou 0. Il y a 8 bits dans un octet.

Bracketing. Méthode permettant d'obtenir une photo correctement exposée en prenant trois clichés : l'un avec l'exposition supposée correcte, un autre légèrement sous-exposé et le dernier légèrement surexposé.

Bruit. Motifs aléatoires de petits points, souvent indésirables, provoqués par des signaux électriques parasites.

Buffer. Espace de stockage temporaire dans lequel une série de vues prises en succession rapide peuvent être conservées avant leur transfert sur la carte mémoire.

Compression. Technique de réduction de l'espace occupé par un fichier qui consiste à supprimer les données redondantes.

Contre-jour. Résultat obtenu quand la source d'éclairage naturelle ou artificielle se trouve derrière le sujet.

Couche (ou Canal). Partie d'une photo stockée sur ordinateur. Une photo en couleurs a une couche par couleur primaire (par exemple RVB, rouge, vert et bleu) et parfois une autre pour un masque ou d'autres effets.

Dégradé. Fondu d'un ton ou d'une couleur dans une autre, ou de la transparence à la couleur dans une teinte. Un filtre dégradé, par exemple, est foncé d'un côté pour devenir clair à l'autre extrémité.

Diffusion. Dispersion de la lumière par un matériau, résultant d'une atténuation de la luminosité et des ombres projetées. Elle peut être due au brouillard ou à un ciel couvert et peut aussi être imitée à l'aide d'un panneau diffusant ou d'une boîte à lumière.

Écrêtage. Perte d'informations dans les hautes lumières de la photo due à une exposition trop longue. Les photosites saturent et enregistrent des valeurs maximales.

Format de fichier. Méthode d'écriture et de stockage d'informations sous forme numérique. Les formats TIFF et JPEG sont généralement utilisés par les photographes.

Griffe. Accessoire présent sur la plupart des reflex numériques qui permet de contrôler un flash externe.

Halo. Ligne claire bordant le contour d'une image.

Histogramme. Graphe présentant la répartition des tons d'une photo. L'axe horizontal va des tons foncés aux tons clairs, tandis que l'axe vertical représente le nombre de pixels de la valeur.

ISO. Notation de la sensibilité à la lumière régie par une norme internationale. Les sensibilités élevées accroissent le bruit.

Longueur focale (ou focale). Distance qui sépare le centre optique de l'objectif et le plan focal sur lequel se forme l'image nette d'un objet situé à l'infini.

Macro. Mode proposé par certains objectifs et appareils qui permet de faire la mise au point sur un plan très rapproché.

Mégapixel. Notation de la résolution d'un appareil photo liée au nombre de pixels sur le capteur. Plus la quantité de mégapixels est élevée, plus la résolution des photos est élevée.

Mise au point. État optique dans lequel les rayons lumineux convergent sur le film ou le capteur pour produire une image nette.

Nombre *f*. Taille de l'ouverture du diaphragme d'un objectif.

Obturateur. Dispositif qui contrôle la durée d'exposition du capteur à la lumière.

Ouverture de diaphragme. Le diaphragme situé derrière l'objectif s'ouvre pour laisser passer la lumière jusqu'au capteur CCD.

Pentaprisme. Prisme de section pentagonale qui fait partie des composants optiques utilisés dans les reflex. La lumière est réfléchie trois fois pour orienter correctement l'image affichée dans le viseur.

Pixel (*Picture Element*). Plus petite unité d'une image numérique. Petits carrés constituant une image bitmap. Chaque pixel porte un ton ou une couleur spécifique.

Plage de focales. Plage sur laquelle l'appareil ou l'objectif est capable de faire la mise au point sur le sujet (par exemple, 0,5 m à l'infini).

ppi (*Pixels Per Inch*). Mesure de la résolution d'une image bitmap.

Profondeur de champ. Distance devant et derrière le point de focale de la photo où la scène présente une netteté suffisante.

Recadrage. Suppression des zones inutiles sur les bords d'une photo pour ne conserver que les éléments significatifs.

Réflecteur. Objet ou matériau utilisé pour réfléchir l'éclairage naturel ou artificiel vers le sujet.

Reflex. Désigne un appareil photo qui transmet la même image via un miroir au capteur et au viseur. On est sûr d'obtenir exactement ce que l'on voit en termes de netteté et de composition.

Spotmètre. Instrument de mesure de la lumière ou fonction du posemètre de l'appareil qui mesure l'exposition d'une zone précise de la scène.

Teinte. Couleur pure définie par la position dans le spectre.

Téléobjectif. Objectif photographique ayant une longue focale qui permet de grossir les objets éloignés.

Température de couleur. Décrit les écarts de couleur de la lumière, mesurés en kelvin et présentant une gamme allant du rouge foncé (1 900 K) au bleu (10 000 K) en passant par l'orange, le jaune et le blanc.

Tons moyens. Parties d'une photo dont les tons sont à mi-chemin entre les hautes lumières et les ombres.

TTL (*Through The Lens*). Désigne le système qui mesure la lumière qui traverse l'objectif pour le calcul des valeurs d'exposition.

Zoom. Objectif à longueur focale réglable.

Index